劉福春・李怡 主編

民國文學珍稀文獻集成
第三輯
新詩舊集影印叢編　第116冊

【臧克家卷】

感情的野馬
重慶：當今出版社 1943 年 11 月初版，1944 年 11 月再版

臧克家　著

花木蘭文化事業有限公司

國家圖書館出版品預行編目資料

感情的野馬／臧克家　著 — 初版 — 新北市：花木蘭文化事業有限
公司，2021〔民110〕

184 面：19×26 公分

（民國文學珍稀文獻集成・第三輯・新詩舊集影印叢編　第116冊）

ISBN 978-986-518-473-5（套書精裝）

831.8　　　　　　　　　　　　　　　　　　　　10010193

ISBN-978-986-518-473-5

9 789865 184735

民國文學珍稀文獻集成 ・ 第三輯 ・ 新詩舊集影印叢編（86-120 冊）
第 116 冊

感情的野馬

著　　者	臧克家	
主　　編	劉福春、李怡	
企　　劃	四川大學中國詩歌研究院 四川大學大文學學派	
總 編 輯	杜潔祥	
副總編輯	楊嘉樂	
編　　輯	許郁翎、張雅淋、潘玟靜　美術編輯　陳逸婷	
出　　版	花木蘭文化事業有限公司	
社　　長	高小娟	
聯絡地址	235 新北市中和區中安街七二號十三樓 電話：02-2923-1455／傳真：02-2923-1452	
網　　址	http://www.huamulan.tw 信箱 service@huamulans.com	
印　　刷	普羅文化出版廣告事業	
初　　版	2021 年 8 月	
定　　價	第三輯 86-120 冊（精裝）新台幣 88,000 元	版權所有・請勿翻印

感情的野馬

臧克家 著

當今出版社（重慶）一九四三年十一月初版，
一九四四年十一月再版。原書四十開。

感情的野馬

小 序

這是一個愛情的故事。要問我為什麼用三千多行的詩來寫一個這樣的故事嗎？我有我的理由和渴望。主要的，我想寫幾種人對愛情的看法。有的人拿女人去充飢解渴；有的人永遠不懂得戀愛，他急於尋找的是一個太太；而這本詩裏的男主角，一個詩人，他却把愛情神秘化，美化，詩化了。也可以說，他用了自己的熱情和幻想創造了一個影子，而他，又顛倒跪拜在她的面前，偶然把她當成一尊神。當然故事並不這麼簡單，有戰爭的恐怖，有山水的明麗，有眼淚，也有歡笑、 設若把她——文雯瑛，從這一團氣氛裏抽出來，那，抱吟也許覺得她不那麼可愛了。

1

「感情的野馬」本來是一篇小詩的名字，
去年冬天，有一家旅館裏，我用燃燒着熱情的
話頭把這故事告訴了徐遲，而且，把這篇小詩
也背給他聽了，他認爲很好，便慫恿我把它改
寫成長篇敍事詩。經過了一廠的考慮，醞釀，
我便傾倒了個人對愛情的經驗和體會，破了幾
個月的工夫寫成了這一本東西。本書裝幀爲曹
辛之兄設計，他把這本詩裝飾得很美麗。

克家·七月於渝

2

1

戰爭，打了一個照面，
一轉身子揚長走開，
帶著塵土，
帶著血腥，
瘋狂，撕碎他的衣襟，
呼嘯在屍骨後像一陣風。
人，揭過去一章心跳的慕，
又像閃害過了一場寒熱症，
生活裝進了一隻口袋，
兩頭緊緊的紮上了繩逼。
滿眼橫排豎列的山峯，
一個山峯是一個生命，
寂靜把它們定了型，

默默的相對着，菁色的臉子
飯窩的心情，
君看天，
天像病人眼裏的天花板，
看看水，
水是一條不響的絲絃，
稻田，
是哭瞎了的眼，
國旗
挑在靈幽匝的高竿，
鳥不開口，
馬不呼嘯，
時間停了擺，
心臟也不跳？
呵，天呀！這一角天地
是從生命的橭身上被割掉？
烏鴉，那裏去了？
你來，成羣的用翻翅子
鼓起老北風，
從半空裏投擲下

2

一串呱，呱，呱，那也好！
這山間，正合攤上睡榻一張，
有個人，從紅塵裏誤失闖進來，
放輕了腳步，四下裏覷一望，
一下子躺在上面，四肢一伸，
合上眼，一覺睡它八百年。
軍部就紮在這山裏，
紮在一個無名的村莊，
這個村莊傍在清潤集身旁，
它是它伸出去的一個拳頭，
連結着它們的小徑像一條纖弱的胳膊。
這一軍，戰爭給它錘鍊成功
一個「鐵」的徽號，
萬軍長，他是萬人仰望的
一顆最亮的將星。
聽他講，講娘子關，
講大別山，你聽台兒莊上
那一陣掃蕩的雄風！
在戰場上，他不知道
什麼叫做敗北，今天却被風困了

— 9 —

寂寞的八陣蹦圍住了英雄，
電話耳機在桌子的一角上
像一個巨人高枕無憂，
整碗裏的鷄鴨也叫不開胃口，
不是抱吟做了他的嘉賓，
不是抱吟塡補了他的心，
不是他給他一個有聲的長夜，
給他一個有色的昏晨，
那，他只得蘊藏好本來面目，
在他部下的眼睛裏，心坎上裝神。
抱吟，三十五歲的一個天眞，
抱吟，他許自己做一個詩人，
理想帶他飛上高空，
又把他摔下來，
叫他向現實再度投生，
他用火條的手臂去摟抱生活，
生活回敬他的是針尖鋼心的疼痛，
他的感情是一陣春風，
給生命吹出個柳綠花紅，
燹裏一刻又把它冰結，

胸膛裏一陣陣冰雪的凜冽！
他的心是一口敏感的鐘，
歡喜痛苦一碰胸，
它就張開大口響應
他用抖顫的脚步
爬着生命的階梯，
一步一步爬向藝術的最高峯。
他是萬軍長的朋友，
也是唯一的人，
獨個兒對着他的時候
這位將軍可以打開他整個的心。
他們的友誼結在兩年以前，
結在台兒莊的戰壕裏，
那時候，他還站在師長的階級，
今天，他對着抱吟
像讀着自己的生命史，
站在高枝上，他回憶起患難，
他珍重患難裏結下的這友誼。
抱吟，他住在招待室裏
被隆重的招待，

小土屋一間，土窗戶開一個神密的

洞眼，

他像家一樣的對它存情意，

他覺得這斗室裏有詩。

這小屋子，半夜裏

還有一豆燈火爆炸出歡笑，

這小屋子，天色還曚曨，

好夢就會有人來敲。

他是萬軍長的參議，

他參贊文化，參贊政治，

參贊愛情和一切的隱私。

他也是還全軍的朋友，

他認識那三位師長，

他認識的官員

排列起來可以成隊成行，

他帶着溫暖想起他們，

像夜裏，指點大大小小的星光。

他曾經和他的戀菌在戰地雙起雙飛。

馬蹄的浪頭

趴大了兩顆心，

搖著轆轤像握著冰條，
風雪上頭撲面的親人。
將士們紅血開出的鮮花，
他用詩句來讚美它，
她的歌聲把山巒搖動，
敵人的大砲又算了什麼。
今天，別人眼裏的一雙鳥兒
關下裏分棲，
他在襄河岸上
品味著荒山的冷落，
她在豫東守著黃河嘴角上的家，
詩慾早已拖長了蔓子，
在她的肚子裏結一個西瓜。
說他不想她，那是瞎話，
他想到她，像想到一道精爛的籬笆，
隔著它，隔著這道籬笆，
每一個女孩兒是一朵花；
他想到她，像想到一杯白水，
不論渴不渴你卻得喝它；
他想到她，像想到一味膩了的食品，

不管人的胃口，到時候照例擺在你眼下

8

II

太陽在東山頂
開出了大幅白靈的畫，
樵夫的山徑引來了兩個人影，
低着頭，勾起手，一步一朵寂寞的花，
葛軍長，向高樹上的山鵲
賭他的槍法，一槍，
瘋狂了山莊的狗子，
中彈的鳥兒像微風裏的落花，
像死水上掠過一陣風，
兩個人落坐在古樹的盤根上，
吸一支煙，彼此望一望，
臉上生出一個笑影，
「今年，我剛好三十八，

我從十八就玩槍桿

．．．．．．．．．．．．．．．．．．

．．．．．．．．．．．．．．

．．．．．．．．．．．．．

．．．．．．．．．．．．．

．．．．．．．．．．．．．

．．．．．．．．．．．．．

為軍長，他受過傷的嗓子
沙沙的漏出聲，把話跟
渲染上感情，
假的，真的，嘴上心上
塗過一層蜜，
像三月的桃花水
從枯死的港口上
浮起了兩具生命。
為了破悶悶，
他們曾騎馬
到劉師長的仙居，
仙居的仙境
只有神仙才可以居住了

10

他們也去過王師長的濁水河，
張師長的梅花莊，
月夜馬蹄上的詩篇只是短夢一場，
一宿過後，生活又滑到了舊的軌上。
有時，到政治部去給生活翻個新花樣，
坐在枯草上，聽女同志們歌唱，
歌聲是他們的生力軍，
用它去攻打寂寞的猖狂，
再給她們出個愛情的難題，
她們用低頭做了答案，
他們的眼光像針尖，
刺着一張羞怯的臉。

11

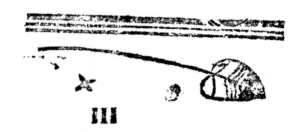

III

任憑一條小徑
領着他們兩個人走，
走向那兒？走向那兒
去捕捉一個奇蹟。
枯草搖擺着身子
給這條小路站崗，
小路蜿挺着
插到了軍部脊背的小河上，
幾塊石頭把人渡過去，
爬上一道崖頭，裝了半鞋筒子土。
像作了一大萬里探險的旅行，
涉過大戈壁，再向喜馬拉雅攀登，
立在高峯上向四面投下眼色，

12

一片綠洲——是麥苗的清青。
大路像一道乾了的沙河，
在一片綠洲裏發明，
半間茅草棚，像譬波線上的
一個尖兵，一支青竹竿
把一方小白旗挑在半空，
像一隻風的翅膀，
一個鮮紅的十字劃在當中。
一條白布像直洩的瀑布，
又像是一幅單聯掛在竹門的左角，
上面的黑字提出：
「榮譽軍人招待所」，風的手
扯弄得它呼呼叫，像無數小口
呼喚著榮譽軍人到這兒來洗劍敷藥。
他兩個，像闖進了世外的桃源
也不問一聲誰是主人；
主人，一位十七八歲的青年，
守著一盆小火向著一本書出神，
鐵壺裏的沸水正好待客。
浪頭叫囂著要衝出它的腦門。

東西兩邊，兩張長桌子對紛，
一個上面，擺着報章，雜誌，和書本，
另一個上，藥瓶子高高低低
像預備上陣的一列新軍，
牆上的標語雜花亂開，
字句，字體，那麼激，
樸得叫人笑也叫人愛。
主人家李菁，綠色軍警裝
一個黑布大套披在上面——
一個嚴冬罩着一個春天，
黑色臉子上，笑的光輝亂閃，
「請坐，喝茶，烤火……」，
主人忙得客人不安。
看見萬軍長搗搗煙盒子來，
他又抱歉「唔，這兒沒有紙煙。」
大家在板凳上坐定，
他們介紹了自己的姓名，
眼看驚奇在他的臉上施法術，
像一個霹靂投下了天空。
「這就是萬軍長！

14

這就是抱吟先生！
只隔一條河，真的還可能？
他的上下唇一開一閉
他有話却沒有聲，
一個夢境現實在眼前，
眼前的現實彷彿是個夢。
他說，他還有一位小女所長，
為別人結婚她去了褒獎，
她的名子叫文曼魂，
他是榮譽軍人的一位小母親，
「文曼魂」，萬軍長叫了一聲，
縱起眉頭，他向記憶裏找一個人。
「文曼魂，我認識她，
大別山轉進，我們碰過面，說過話，
不是嗎，矮矮的身蓋，紅紅的腮朵，
像春風裏的一枝花。
「你見的不是她，
是她的姊姊，是曼華，
一般高，一個模樣，她倆，她倆是
只差一歲的一對姊妹花。

15

她，是華，在五十二所，
離這兒八十里，
幾時去□陽，過南溪，正走她的門口，
可以進去坐坐，吃一杯茶。」
走回家。兩個人的步子
不再那麼沉，
生命裡埋的鏡兒
像用手新擦了一下，
每個人的胸口裡
有一點主意輕輕在爬。
淙淙的從口裡流出來，
那裡來的這多話？
不覺得走過了獨木小橋，
穿過了清澗裡上人的臉色，
今天，村民像蜜蜂
嗡嗡的來採這朵幽香的山花。
晚上，招待室的小桌上
油燈矇矓着一隻小眼睛，
炭火把兩個臉烘得通紅，
好客起抓到了一個題目，

36

玄妙的文章扯到月宮，
萬軍長，他說，不必見到面，
「文曇魂」這三個字就够動人，
「你替我給她寫封信，
我沒有美麗的文字，
却有個美麗的靈魂。」
他的夫人，
他逢人便用口給她「傳眞」：
溫柔又美麗，
天下女性的美點集中她一身，
可是，今夜他再不提起她了，
今夜，有一朵花開滿了他的心。
第二天，抱吟從軍郵手裏
接過來厚厚的一封信，
一篇習作，寫着淒涼的身世，
流亡道上的苦辛，
從字句上他讀出了
良善，天眞，另外還有便射三分，
他讀出了放出一個希密，太高，
怕它斷線的一顆至溫的心。

47

在人生的場合上，他抱有個缺憾，
沒有弟兄生命太孤懸，
今天這封信寄來了手足的溫情，
心上的缺口彌住了縫。

IV

第三天早晨，背着軍長，他一個人
像去做一件祕密的事情，
踏上了軍部身後的田埂，
路絕了，就用腳新開一條，
裝一鞋土，一褲管土，
草架的觸手抓住了
他的衣服。
還是一條弓絃，離軍部
只有一千三百五十步遠，
帶着冒險的趣味
石子把人渡過一條小河，
小茅棚上的小白旗
像一朵白雲

親親熱熱的招呼着來人，
他坐在小芦棚裏了，
同李菁面對着面，心向着心，
話裏轉了無數的灣，
最後轉到了他的所長——文曼魂。
像做了一篇文章，還才入了正題，
讀到了精彩的一段，才覺得
那個大帽子真沒意思；
像遊山玩水，剛入山，心和路
一般的平淡，深入了水色山光的燦爛，
還才從心裏發出一聲讚歎。
李菁，他用拙口描繪她的影，
像用禿筆速寫畫像一幀！
他述說她的勇敢，純潔，天真，貞靜，
他述說着他同她的經歷，
像在述說着一個昨夜的夢：
「你說，那個戰役我們沒有參加？
你說，她參加過多少次戰爭？
台兒莊她沒有到過，那時候，
那時候，她還不過是一個初中學生。

20

她年紀小，她的胆量却真高，
她冒險，她不覺得那是冒險，
黑夜裏摸索在懸崖上。
她的心却那麼平坦，
她的青春驕散着死亡，
死神望着她的影就趕忙躱閃。
前年六月天突圍在大別山，
今天想起來，
心絃還顫動着當時的驚險。
只有一條公路——一個生的門
開向我們，炮彈吼叫着
在臉前撒一面死網，
敵人在身後像鬼魂，
緊躡着人底脚跟。
夜，是蓋在死屍臉上的
一面黑紗，螢火，像魔鬼手裏的金線，
在黑紗上刺繡出恐懼的花。
像在死的黑淵裏游泳，
我們走着，一前一後，
當中嵌着幾座傷兵的狼狽。

我們不能丟下他們不管，
那不能！他們受了傷，流了血，為的是
　　什麼？
他們倒下，呻吟，哀叫，慘痛，
生命滿脫了死的牢孔，
今後，還得憑掙扎同死鬥爭！
我們是生死弟兄，我們在生死線上
　　同行，
黑夜是大家的黑夜，
天明是大家的天明。
走着，走着，有個頓頓的東西碰一下
　　脚跟，
跳到了一邊，一聲叫喊，
叫喊的不是被踏的屍體，是我們。
受難的鎮市，受難的村落，
都在大炮的口裏漱過
房屋已經失了原形，
焦木，死尸放射着臭氣
向緊閉的鼻孔猛烈的進攻。
仰頭找不到一顆星，

22

低頭找不到一盞燈，
覓不到一聲犬吠，一隻鷥鳴，
散兵游勇像幽靈在遊行，
他望着你，兩柱眼光像地獄的火，
一個眼色嚇埠人的魂，
他偎近你，亂喞喳，用小怪，
他的嘴是一口陷阱，
把平稱向下一按，她像雁羣的領隊
在頭前飛，她的心照亮了黑夜，
不作一聲，頭也不回，
從來天真可以避邪。
走着，走着，一盞紅燈箭
在脚下突然亮起，
像脚尖觸開了電燈的機關，
那燈箭，紅得刺眼，刺得人肉疼，
它的顏色是紅，紅得都透藍。
趁了這鬼火的一閃
驀然把自己照進了我們的眼，
這朵火花謝了，那朵又開，
一朵一朵越來越燦爛，

23

一盞鬼火是一座墳墓的眼，
我們的黑夜它們是白天，
鬼魂一齊頂開棺蓋，
成群結隊在庭院裏狂歡，
那裏的早市　一
透過夜的靜，送出了還一陣喧嚷？
千萬人的嘈雜匯成了一個音韻，
一回模糊，一回又清晰，
說它遠在天涯，卻又近在耳旁，
有一個高音，像一個指揮，
用了直喚，它向誰招呼，
像有一句話要衝破壯皮，
越急越沒法把它說清楚。
我聽齊了這聲音，
但我不妝說破它，
她也聽着這聲音，
她也不說一句話，
夜色濃得這樣，人間的早市
不會在這墳堆裏開場，
走着．走着，一個血紅的球

21

像魔鬼的玩具，從地獄裏
慢慢的升上人間，
一條線穿過陰陽兩界，
這紅球繫在這條線的一端。
疑慮，恐怖，推着
每個血球的輪子滾動；
想破了，一聲笑拓寬了心境，
原來是一輪滿月趕了她的行程。
她一直在頭前機開路先鋒，
脚步整整一夜沒有停，
你猜一夜趕了多少路？
十八里——從夜晚到天明。
敵人先頭部隊的馬蹄
超過雙腿，
山林的樹木
窩藏了我們，
她，文墨魂，是一顆福星，
她的光輝向人間照臨。
她忘不掉肩頭的責任
像忘不掉她臉上的笑。

25

她記不起自己，却時時
走近祖架，去問弟兄們的飢餓，痛苦，
　和寒溫，
彷彿他們是一羣受難的孩子，
而她，才是他們親生的母親。
那一個人的心地上
開不出回憶的花？
讚美這朵花的葉蕊，
世界上沒有一張笨拙的嘴巴，
炭盆裏的火苗
伸出舌頭替他祖蔭，
壺裏的水
像沸騰了的感情。
拉了幕，盆上還一場，
暴雨的音響太久了
怕翻斷人的心弦，　鬆一鬆柱，　調一下
　絃，
再給換一個輕鬆的場面。
「她走過多少地方
都有我陪伴

26.

她腳踏的土地上，
就有個春天，
她到那兒，那兒有人瘋狂的追她，
他們像蜜蜂，想吸取愛情，
她是他們眼裏最香甜的一朵花。
他們也都對我好，
想把我做一道橋，
（抱吟的心，像觸電，猛一跳！）
他們的苦心都是白用，
她只認識工作，不認識愛術。」

27

V

大清早，太陽的金盆
循着它的軌道走上天空，
拖吟，他沿着他的小徑
走向那間草棚。
「只是閒走走，
沒有什麼目的，」
吹着口哨，叫手杖在頭頂畫小圈子，
走兩步，停一停，
他對自已這麼解釋。
他站在崖頭上
看還條河水。看石子的橋梁
像一條綠色的飄帶
束在水的腰上，

28

隱約有歌聲渡過水來，
隔霧看花一樣的朦朧。
遮藍水車的小草棚，
像矮子頭上的破草帽一頂，
一條木板，他只看見個尖端，
它像一個兩棲的動物，
一頭在水裏，一頭在沙灘。
手杖扶他下了土崖，
走近了瓶身，沒看見人影
先聽見了笑聲，
幾個步子拉直了視線的方向，
有兩個人，挨着肩，
在木板上搗洗衣裳。
他認識，穿黑大衣的是李菁。
靠在他身旁有一位姑娘，
黑大衣披在身上，兩隻空袖筒
像兩扇翅膀。
李菁，他的眼光從水面上
舉起來了，擺着右手，
笑，刮一臉風。

她也立起了身，她的頭
剛超過他的耳根。
抱吟，三條腿馱他過河，
兩條打着戰，踏得石子叫出聲，
那一條插在水裏，他半打着躬。
「還是所授文曼魂；
還是大詩人抱吟，」
這個名字在他心上一跳，
他流心恰像眼前水車的齒輪。
他看見，
波紋偷去了她的身影，
他聽見，
水浪學着她的歌聲，
太陽在天上為她逗留，
青山模仿着她的堅貞。
沒說話，先獻給他一對小酒窩，
開在她腮邊的還笑的花朵，
它要把人間的哀愁笑落。
她抱着衣服走上了回家的路，
水默濤下來，

50

像清風搖落了荷葉上的珍珠，
還水點，
滴穿了寂寞，
還水點
像甘霖，滋潤了他的心篙。
她在前面走，
他在後邊踏她的腳印，
她的笑傳染了他，
他另換了一雙眼，一顆心。
以前的生活
糊塗在迷惑陣，
今天，才清醒過來，
今天是世界上第一個早晨。
抱吟，
他聽見鳥兒
恐封了口，
他看見寒山
北盡邊動人，
他感到了太陽的溫柔，冬的靜，
他胸口裏

躍動着生的歡欣．

有一匹野馬，

從他心裏放出去了，

去追她的笑，

她的天真。

她的「家」，房主卻不姓文，

人家讓給她一間「當門」，

大門朝東，院落幽靜，

太陽從這裏得到了光明。

大門外的場子，

像一面剛磨過的明鏡，

三十步以外，隔一條乾溝，

坐落着那間小草棚——她的辦公廳．

當她剛走到大門外，

一個五六歲的小女孩迎了上來，

從她手裏奪去衣服就跑，

跑得那麼危險，

像一雙小手挾着泰山。

（慢一點！

她喊了一聲「小倩」！）

82

大門吱呀一聲
給抱吟開了一個神祕的洞，
撲啦驚飛了一窠樹麻雀，
它全身的枝條一齊在顫動。
一間房子，一道竹屏風
把它隔成兩間，
東頭有竹門一扇，
誰知道夜裏誰鎖不鎖。
李菁的牀貼着外間的西山，
牀頭緊頂着竹屏風。
一層薄紙上
開着一個個小的洞眼。）
一張長條桌做了東壁的欄干，
雜誌，文藝，通俗小冊子，
一個蛤蟆一塊濕地，
各人擁有自己的地盤。
每本書皮上都題着「敬贈」，
上款的名子只是一個，
下款的名子每本都不同。
三個人，三隻小板凳，

33

牛眠房是抱吟的天宮，
他的眼，向那邊的紙洞出神，
一囘，轉過來望望這邊的那扇竹門。
工友過來了，
送過來一個火盆——
送來了溫暖，
過一囘，她又來了，
從右臂上
脫下了竹籃，
籃子裏，褐色的荸薺，紅的蘿，
迎時的山味看看也解饞。
她的小手
給紅棗洗了個澡，
把它裝進小鐵缸
坐在火上，
她用指尖，靈活的
剝出了荸薺的白肉，
抱吟嚼着它從心裏甜。
小倩，這隻被她喂熟了的小鳥，
嘟嚕喳喳圍着她跳躍，

34

「這是大詩人抱吟先生，
小倩，你給他鞠一個躬，」
小倩雙腿立正，
羞澀的打了一個躬，
一個躬，換了半口袋荸薺，
紅著一大簍。
房東，像她的老祖父，
也出來陪她的客人坐一回兒．
手裏的長煙袋像他的年齡；
炭火一直暖到人心，
菱子像小船
在沸水裏浮沈。
她說話，她的笑更多，
笑，像樂園裏的鳥兒
拨撊著翅膀
飛到人心裏去壘窩．
晨光，
溜進了房門，
春光，
來到了爐邊．

35

他的心是一隻風箏，
在她的笑風裏飄蕩，飄蕩。
巴經死了的東西
復活了，
中年人心上經驗的鉄箱
（裏面鎖着沉鬱，愁苦，
蹉跎和徬徨。）
一下子沉沒到陽光的海洋。
他的血，解凍了，
淙淙的流在
血管的河床。
他的口，
也揭去了沉默的封條。
他想飛，
就缺少一雙翅膀。
他望着她的眼光，
像一條路直通到天堂，
她的眸子似海深，
從裏邊，他撈到了
失落已久的青春寶藏。

86

「你的家在海的那一邊？
天的那一方？」
「我的家，是一個小地方，
潢川，它就是我的故鄉。
這地方，有條沙河，有個大教堂，
有兩個城，坐在河的兩旁，
可是，抱吟先生，
你不要笑，笑我這樣
誇我故鄉的風光。」
「呵，潢川！你的家
就是潢川？潢川，
它是我的第二故鄉，
它是我詩的源泉，
它像我遠離的一個情人
常常來扣我記憶的大門。
今天，這大門
給你幾句話叫開，
呵，記憶呀，你們一個一個
都給我跳出來！
我認識每一條大街，

37

大街上一家家商店的字號，
我認識每一條小巷，
小巷裏，人家門上的對聯，
我認識星期天的熱鬧，
『青年軍團』裏五千青年男女
這一天，把這座小城的臂肩灌滿，
我認識，
沙河岸上小茶館裏的靜，
眼睛迎送着兩面的帆影，
我是第一個人
從池塘的水渡上
探出了春天的消息，
我常常的一個人，背起手，
徘徊在古老的城頭上
迎接黃昏，
沙灘上，
印着我同一羣孩子的脚印，……
呵，我的快樂，我的眼淚，怎麼
對人訴說？
你的潢川，我的潢川。

38

對着它，我却用不到這一句話。」
「記得嗎？抱吟先生，
記得『華美醫院』——
那一座基督教堂，
它坐落在西北城角，
坐落在我的心上。
一片紅瓦的樓房，
一座人間的天堂，
大門外，兩排常綠樹
站在甬道兩旁，
向左拐，一條小路
伸向一片荒場，
荒場上，一個一個小池塘
像鏡面，叫走向遺空地的人們
到這兒，先低下頭照一照自己的樣相。
那時候，我是天使隊裡的一個，
有快樂的翅膀在夢裡飛翔，
就在這教堂的一角裡，
飛去了我三年初中的時光。」
「呵，基督教堂，華美醫院，

89

華美醫院，基督敎堂！」
他反復着這兩個名詞，
一個地方，像車站上的軌道
有許多條，可是當記憶的車箱
裝滿了悲傷歡喜的往事
嗚嗚的叫着開出去，
她的眼睛掛着他的車箱，
終于走到了一條軌上。
抱吟站了起來，眼向着屋頂，
背上剪着雙手，在地上走，
從現實的起點走囘頭，
走過三年，走到了過去的那一個站口，
她，低垂着頭，
眼睛像個夢，向着火光，
她用鐵筷子撥着條炭，
像要把記憶撥得更亮。
他和她
呼吸在一個天地裏，
囘憶在兩個心上
架一道橋樑；

40

李菁，像另一個世界裏的人，
為了偷聽別人的祕密，
什麼時候來到了他倆的身旁！
「我有一個故事，很動人，
它那麼美麗，又那麼悲傷和哀愁。」
抱吟低下頭，曼魂仰起臉，
四注眼波合了流。
「有一個詩人，
他的家在青島，黃海之濱，
他像一支船
衝過了「一九二七」革命的狂潮，
三年前，他同他共過十年死生的伴侶
一道逃出了北方，逃離了艱險，
戰爭的激流
又把他們波蕩到潢川。
人間的情絲頭緒紛芸，
天上的尺度有它的分寸，
月老在人的腿頸上浪費了多少紅線，
卻並沒有把它們繫得牢穩，
從古愛清結伴着恨，

41

時光會暗中偷換了人心。

她——

倔强，勇敢，犧牲自己為別人，

他——

溫和，憐憫，他有一顆善良的心，

他兩個向着一個遠景，

他兩個，都是捍衞眞理的小兵，

他們可以是好朋友，好同志，

可是，他們的關係却是夫妻；

那時候，正是春天，

矛盾的結子

在感情上結滿，

那時候，正是春天，

一位姑娘向他輸送愛情

用她的雙眼。

一次口角成了燎原的火星，

一時的怒氣使他兩個

在離婚書上簽了自己的名，

十年的關係潦草的總結了一筆，

是痛苦，是解放，那味兒巳經辨不分

42

明。

她，就在第二天，留下了枕上的淚，

地上的血，坐上火車去了武漢，

他，望着她的遺物，帶着悔恨，

帶着病痛，進了華美醫院，

一個小房間，地板照出人影，

鐵絲紗窗開着

千萬個寂寞的瞳孔，

人，合着雙眼，

任憑回憶的暗箭

在他的心頭穿洞！

那麼香的飯，

一看見就飽脹，

鋼絲床，那麼軟，

睡上去像針氈。

一天三次照例有人來，

送藥，診病，來的是醫生，

心情的冷熱

也能用玻璃管測量？

人間有藥石

43

可以療治愛情？
（那位姑娘，在愛的戰陣上
做了一名逃兵。）
牛毛細雨，濛濛星星，
像輕紗飄下了天空，
落在人身上
衣服沾不濕，
落在人心上
藏一個寂寞的夢，
落在桃花上，李花上，
滿院子，一樹白，一樹紅——
一隊青春的少女
戀着一羣白頭的老翁。
一地青草挑着水珠，
像一條綠絲穿起了珍珠，
不忍把腳踏在上面，
怕遛嫩的生命要啼哭。
夕陽在紗窗上
留下了一天的惆悵，
他又得掐着指頭

44

計算夜有多長，
一聲一聲晚鐘
把暮色搖落，
在遠處傳來的祈禱聲裏
他的熱淚一顆又一顆。
那時候，他常從紗窗裏
向四望，望見一隊隊女學生，
走出去又走進來，
你，也許就在這裏遊，
但是，那時候，隔一層紗
就是隔一個世界。」
「抱吟先生，不再說了吧，
我的眼淚要為你落下，
請原諒我，那時候我們不相識，
不然的話，我一定每天去給你唱歌，
去給你送一瓶鮮花。」
抱吟回頭走，她兩個去送他，
路，他不走絃，卻去走弧，
他慢慢的舉起腳
又輕輕的放下，

45

— 51 —

恐怕震落了心上的快樂。
她在一旁，他在一旁，
抱吟夾在她倆的中央，
送下了崖頭，送過了沙灘，
她們一直送到了橋邊，
他過了獨木小橋，爬上了大坡，
他用眼光送她們的背影，
一直送進了那神祕的草棚。
湉澗集的「冷築」
是一首湉冷的詩，
年關近了，攤上的年貨
樣樣齊備，年紅燭，線條香，
竹竿挑一串細小的「爆仗」，
他一邊走，一邊看，一邊想：
宇宙這麼寬，
人生還麼美，
山的靜，
水的流，
鳥的叫，
一朵白雲的舒捲，

46

都有大自然的奧妙

藏在中間；

昨天，他沒有心，沒有眼，

今天，他却用它們

看出了人間的秩序

排列得多麼像一個

音色和諧的大溫柔，

他走近了那一口大墳，

一個崗兵向他敬禮，

他還才加快了脚步，

像偷了人家的什麼東西。

47

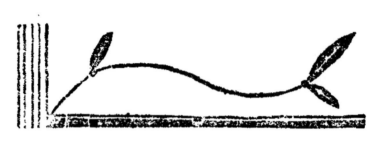

VI

回頭一進門，他駭異他的小屋
怎樣這麼不乾淨，
像一個人滿染了灰色的心情，
被頭上，油灰施了一層薄漆，
雪白的被單像遭了姦污，
桌布，早就該給它洗一個澡，
牆角上，蜘蛛張開網羅
垂掛的灰塵是它的俘虜。
抱吟，他的心
像一個生銹的齒輪，
他的心像一張潔白的天真臉
污染了人間的灰塵，
他的心像一個深軸

58

抽不斷的愁雲。
今天，誰給他
擦亮了心的齒輪、
今天，誰給他
刷洗去污垢，見出了天真，
今天，那裏的一陣清風
掃斷了他心上的雲根。
他提起筆，鋪下稿紙，
那麼起勁的草一個計劃
不是爲了責任，
也不是誰在用鞭子抽他，
他的精神泉水一般湧，
他工作，全是出于自發。
筆管在他手裏
像一匹野馬，
字句像珍珠泉裏的珍珠，
千顆萬顆一齊噴出水面，
帶着彩虹的顏色，
燦耀在太陽光下。
思想，在先前，

49

像躲在枯洞裏的青蛙，
今天，暴雨漲滿了池塘，
一個一個爭着把頭浮出來，
生命鼓動了下顎
聽他們一陣一陣的哇，哇，
他口裏啣一支煙，
像小孩子玩賞自己的戲作
他鑒賞着吐出的煙圈，
忽而，像一隻柔手
在他的心上一搔，
他對着鏡子笑了，
他一直工作着，不知道疲倦，
他乾枯的體幹上，
來了春天。
他洗着太陽浴，同農人談話，
耳朵聽不懂，
可以用心去聽它：
他在嬰孩的嫩腮上
點一指頭，點開一朵笑的花；
沒人的時候，他逗着小狗撒賴，

50

他盯着小蟲在太陽底下蠕動，
一塊石頭，一株枯草，
對着它們，他想說出他快樂的心情。
他對自己發誓：
「把這個祕密鎖在心裏！」
可是，他像一個算卦的老鼠，
一放下爪子就忘記了卦文，
他像一個神經病人。
獨個兒走在海邊，
他警戒自己說「危險，那是海！」
說着說着，他却向着那危險走近！
抱吟，熱情把他
燒成個狂人，
他抱着這顆祕密
到處去誇耀，
向萬軍長活枝鮮葉的
述說了他今天的紅運。
「一個青年，
一位少女，
兩個人睡在一間房屋！

說什麼竹的屏風，竹的門，
愛情不怕火焰山，
一層薄紙只好騙騙詩人。」
冷風吹上了熱流，
火山口噴出的溶岩
凝成一塊一塊的石頭，
他體會著舊軍長的話，
還是嫉妒抽出的嫩芽，
他損傷了他的心，
他侮辱了他的女神，
他想追回自已的話，
忽然又想起：
舊軍長寫信的請托
他還沒有給他回答，
他又常常想起斐茵，
性子比石頭還硬，
她話頭的鋒針，
多少次把他的心刺痛！
想起她加給他的苦痛
可以堆成一座泰山，

如

她塗在他臉上的恥辱
萬丈黃河也洗不清。
她的長處
在他心的篩子上篩罷,
一個一個的缺點,
他把它們放在了顯微鏡下。
他的口
是一架擴音機,
到處廣播自己的痛苦
和她的惡蹟,
抓住個題目,放開了誇張的彩筆,
多日不來信也成了她的罪狀之一。

53

VII

陽歷新年的第一天
揭開「三十年」時間的幕布
軍部門前的場子上
開了一台子「高台曲」，
打了一牟仗
也該快活它一天，
台子上，扭呀揑的花大姐，
你不信他是一位河南大漢？
走，到後台去看，
脫下來的軍裝
正躺在木箱上匯眠。
土腔土調，鄉土的味兒真濃，
句句送到人耳朵裏，那麼中聽！

54

唱的人，無拘束的聲弄，
絲遮攔的泛瀾風情，
他的口像漫畫家手裏的筆，
因為，他自己先就醉倒在這無費的醇酒
　　中。
觀眾，有老百姓，有大兵，
有女孩的影子
在燈光下朦朧。
戲詞，潑剌，淫蕩，
一句句向人挑情，
像給台下人做個樣兒，
做的人，風騷得使人心蕩漾，臉發紅，
看的人，流着口水，癡瞪着眼睛。
戲，橛子一樣
拴住了一場子男男女女，
一雙雙眼光的
是心靈的交通路，
燈光把他（她）們
浮到了另一個世界，
揭去面具，百無禁忌，

55

今夜，感情把人類去宰；
萬軍長也笑口常開，
今夜他是一個人，不是一個官，
他天真的向抱吟側過了臉，
婉惜的說：「可惜我們的情思
只換回她一張明片來。

56

IIX

軍長的院落裏
三個人在晒太陽，
蔣軍長，抱吟，
斜對着，湊成一個三角
加上了宋參謀長。
陽光的暖氣管
打飽了他們的棉軍裝，
它用溫柔的手指
抓得人混身癢癢，
輕輕的扒開人的口
叫你打一個沒勁的呵欠；
它又叫你伸一個懶腰，
慢慢的拉起了人的胳膊，

57

寂寞，散漫，悠閒，

團結成一個，

解除了 ♨

活躍的生命的武裝，

格朗，格朗，電話鈴

像是人心上的一個回憶，

踏着天線的天橋

它來自仙居的仙境。

你想，這是劉師長向他的上峯

來報告軍情？

不是的，他是報告一件開心的事情

他說：「有一位姓文的姑娘，

名子叫做什麼魂，

來這裏看她中學時代的一位先生，

他是師部的軍需一名。

她來看一個人，

十個人，一百個人，却爭着看她，

她走到那裏，那裏便鬧盈盈，

她走到那裏，

那裏便有了笑聲，有了歡騰，

5g

有了活力有了生命。
像一個校頭率着錢總，
只要她一動，那全都動了——
無數的心，無數的身子，無數的眼睛。
我還沒有眼福
看到她；可有個機會？
我在等！
陪她來的，聽說還有范醫官，
他緊追着她寸步也不離，
一個是形，一個是影。
她是一陣風，
她是一顆星，
她是妖精的化身
來擾亂軍情！
報告軍長，這樣可不行，
我等候軍長的命令
把她驅逐出境……」
電話耳機裏傳着大笑，
聽電話的人
也前仰後合笑個不住聲，

59

寂寞的悶陣破了，
整個的山裏
刮着文曼魂風。
宋參謀長，折疊的皺紋
在額上高標出年齡，
他的心比針眼細，
敵人別想漏脫他計劃的網孔，
他謹慎，和藹，叫人親近，
經驗鍊得他火候純青。
可是說起笑話來
他口角便生風，
他的歲數已撤掉了五十，
嘴角上還留着十八九的嫩生。
「我希望我是一個小兵，
受了傷，流點血，可不要關係性命，
讓別人把我拾進那間小草棚，
只要她幾句話，一雙眼，
我想，再重些，也會起死回生……」
黎隊長走過來了，漂亮得
像一個大學生，

69

他呈給軍長一封信，
鋼筆字，小藍信封，
一看，就知道裏邊裝的是愛情。
這就是他誇口的那個美貌，
這就是他誇口的那個性情，
他當着人打開了它，
他的眼睛同她的心說話。
她的信
填補了他心上的空虛，
她的信
壓死了他浪漫的情緒，
他把信看了又看，
他在計算着陰曆年還有多少天。

61

IX

下半晌，太陽的光波
從小茅棚上慢慢的息落，
茅棚裏，文所長的小手慌傷是忙着。
像揭着自己的創痕，
她揭着他腿上的綳布，
他低着頭，一絲一絲的
陪着她手裏的布條
拉長了呼吸。
黃的膿，紫的血，像一堆無賴
釘住了布面，這全不在她眼裏，
她潔白的小手上也沾了一點點。
小指頭在瘡口的邊沿上
點幾下，笑着問聲：

62

「痛不痛？」洗過創，換過藥，
搽一下手，滴幾滴酒精。
她又向那位弟兄
說了：「別怕麻煩，每天要來看；
不要担心，不久創口就會長平。」
請他坐一回，送給他一杯水，
問他家住那兒？從幾時當兵？
問他在什麼地方受的傷，有沒父母
　　弟兄？
最後送給他一個溫暖的笑，
彷彿她的笑也可以治病。
她工作，用她全個兒的心，
工作，在她就是快樂，
剛才她在換藥的時候，
有兩個助手，一直聽着
她眼色的指使，在奔走。
一個是李蓉——
她的難友，她的同志，
別人眼裏的嫌疑犯，
睡在一間屋子裏

63

隔一道竹子屏風。
另外一位，
雀斑點滿了黑的臉子，
像永遠洗不掉的蒼蠅矢，
論歲數，看樣子，
二十出頭，三十還不足。
他沉默，他用眼睛說話。
他是范海天，
他是軍長的醫官，
他是她的同鄉，她的同行，
他的身子，他的心，
日夜追隨在她的身旁。
黃昏，她們三個人
圍着火盆，像抱着一個
溫暖的心。
一個人，帶一身夕陽
闖進了茅棚，
這不是別個，是排長。
范海天
站起來給他敬禮。

64

稍坐了一回兒，
便站起來告辭，
李青站起來
向他表示敬意，
女婆魂，她競爭跳起來，
燦爛的一笑，忙着在自己的身旁
給他安一個凳子，
抱吟，他用右手揑着軍帽的舌頭，
額角上的汗珠在快樂裏打滾，
太陽沒落了，燈煙系穩了它的光，
籠罩上一桌酒菜，
這酒菜，把個天堂從九重天
搬到了地搬室外臨街的地上
泥瓦盆，粗磁碗，
華美的內容
裝在樸素的形式裏邊。
遠來的有海錯，
在山裏也有山味可吃，
幾塊錢可以辦一桌盛席，
這樣茶飯總是的呀，

65

每樣菜都合他的口，
彷彿有一種神秘的「味素」
她把它加進了這些菜裏頭．
桌面上，四個人各霸一方
老房東，抖動着手，閉着笑口，
把杯子向地下滴幾滴，
然後擧起來向客人敬酒，
他慢慢的擧筷子，
又輕輕的放下它，
不像是為了吃喝，
倒像是為了來表演古典的禮法．
小倩，攀着她的胳膊打秋千，
臉上有媚人的笑，話頭放得很遠，
　　很甜，
的溜溜的一雙小眼睛却不離開眼前的盤
　　碗．
一條鷄腿，飽滿了她的希望，
擧起它來，她想跑開，
「謝謝抱哈先生，你說！」
她一把拉住她，叫她做個學舌的鸚哥．

66

像舞台上的一個配角，
完了他的戲，老頭兒退了席，
桌子上剩了三個人：
李菁在西邊「面壁」，
抱吟臉朝南，對着文曼魂。
一杯酒落下了肚皮，
胸口裏有了春的消息，
兩杯三杯呷下去，
心頭上的柳鎖嘩啦一聲脫落。
幽禁的歡喜
蝴蝶似的舞飛，
眼前的天地
開擴得無邊無際。
他的話像春水，淙淙有韻響，
誰借給他的口才
在今天晚上？
他的精神
越來越旺，
像有支管子
給他注射力量，

67

他天真的光芒
像千百個噴泉
一齊噴放，
情感的烈火
從心口燃燒到臉上。
身子
按着情緒的節拍
變化着自己的模樣，
姿態，顏色，聲響，整個靈肉
把一個生勁的「義」
灌注在時間的一點上。
杯子碰杯子，
眼光碰眼光，
把東海的水全化成酒，
咀嚼着她的話頭，她笑的輝光，
咕咚一口灌下去，
抱吟，這時候他有這個海量！
一個人，推開門，
燈光向門縫
劈過去一條光明。

聲音一入耳，
他的快腿
就跟住了那個來人——
軍長的醫官范海天。
「我敬你一杯」，
一杯酒跟一朵笑，
「你也應該陪上一杯」，
跟着手裏的酒盅
她飛給李蔣一個眼色。
他同他，
多年不見的老朋友一樣，
一口一杯的「對」，
他同他碰杯，猜拳，
熱烈得發狂，
一個力量，鼓舞着兩個人
把生命作孤注，
爭游着賭博一場。
「醉倒了一個」，
像隔着什麼
他聽到了語聲的朦朧。

69

一個人做了手杖，
抱吟扶着她進了那個神祕的竹門，
倒在了一張牀上，
屋子裏的空氣
使他清醒，
按住心跳，看紙上的白光，
聽她們三個人的動靜。
他反手按一下床，
按得被單的稻草沙沙響，
什麼在發亮？
像從遠處望一個池塘，
還是一面小鏡
坐在她的小桌上。
一個人影幾次閃進
又閃出，
脚步在他的身邊停住，
把一個荸薺填進他的口，
一回，又給他整一整枕頭，
一隻柔手在他額上拭一下，
小聲問一句：「好點了沒有？」

70

宇宙在夜的懷抱裏安息，
人們把自己安息在夢裏，
抱吟身旁的李耆－
響膺鼓動着一雙鼻翅，
怕聽別人的隱私，他用沈遞淹住了
　　雙耳。
夜是他倆的·你看
夜是多麼美，多麼靜，
像一個聖處女，沈默着，
只須對着她你就可以
感覺到柔情，
像天上的月亮，放射幽光，
使你的心在她的光裏一動不動·
夜，它鼓舞人做什麼，
又替人掩飾，
它，剝去人的一切，坦露出「良心」，
可是，夜，它是不饒舌的。
這時，門外的夜色
應該是一幅畫：
藍天上綴意星花，

71

明月，用她不老的眼睛
向小河，向樹木，向人開着真實話。
狗子，坐在地上
聽神祕的夜歌。
枯枝，在微風裏
舞弄着自己的影兒蹩趖。
屋子裏，三個人，
睡着四隻眼睛，兩顆心。
他同她，頭偎頭，
距離退縮到兩三寸，
隔一白紙，燭光把她的頭髮，
把神祕的朦朧，描上了紙面，
描上了他的心。
他聽着她細微的呼吸，
像春風在花間遊戲，
聽着他反轉身子，
聽着她手一抬，腳一動，
他的耳朵機靈的
追着她心的行踪。
他的話，翻倒了

72

記憶的舊箱底，
他的話，給自己寫一部生命史，
他不但在大處落筆，
一枝一葉，他也給它個生動的風姿。
他的話聲像夜的海面上
恬靜的微波，後面一個
緊擁着前面的一個，
話頭像緯線，織入了
她的心，淚絲和笑光
織出了悲歡的花紋。
他訴說悲劇的愛情，
像揭一串創疤；
他訴說冒險的一段，
像生命的小船駛過三峽；
他訴說着，不像是同紙那邊的人，
像把整個自己解剖給
供奉在心坎上的一尊神。
她說自己是一個耶穌敎徒，
但是，真正信敎的是她的父母，
她說自己並不迷信。

73

「上帝就是自己的良心。」

她的小鏡子底下

壓一本聖經，

還有另外一些書，

把她引向相反的路。

送書的人有個好頭腦，

他是她們的同工，她們的「大哥」，

她們的一盞燈，

他說，在一個什麼地方和什麼時會過。

「天這麼冷

我卻把棉衣服放在床頭上，

因為李濟他只有一套單軍裝，

天這麼冷，我鋪著單毯，睡得那麼甜，

因為我時時想到別人。

什麼叫愛情？了解它

我還太年輕，

我只怪，別人為什麼

還有愁苦，有悲哀？

我覺得快樂頂好

在夢裏，我也常笑……」

74

快樂的時光，瞞着人
加速了馬力，諜報的雄雞
開了八次口，寒冷加重了，
語絲把長夜串起。
第二天早上，他照常走進軍長的臥房，
這房子裏的空氣
今早上又冷又僵，
做一幅假臉子，
說些不相干的話，
不知為什麼，今早
他怕正眼去看他。
范軍長沒開口先來個笑，
這個笑味兒真複雜，
「愛情的酒醒了沒有？
這甜蜜的一夜，該是無價！」
「乘虛而入」，還是他用慣了的兵法，
現在，他用了話頭的精兵
向抱吟的弱點攻打。
「請不要這麼說吧！
對我，沒有什麼，

75

誰的唾沫星
會沾污了人家。
你只管去問，
問李菁，昨天夜裏
誰和他同榻？
酒的力量真偉大。
它會叫一個人變一堆泥巴；
還有一點，說了你也不會相信。
我追的是自己心上的一個影子，
不是文曼瑰，不是她。」
「你說的是什麼？
你說，你追的是一個心上的影子，不是
　　她？
你說，酒會把人變成一堆泥巴？
你說，叫我去問李菁，問問昨夜誰和他
　　同榻？
你，說的也許是焦乾的實話，
可是，你叫我怎麼相信，
怎麼去了解它？
我從來不認識愛情，只知道女人可以尖

76

　　餓得渴……」
　　抬眼，他覺得
　　每個人用一副不同的眼睛
　　在看他，
　　他覺得，別人都在私下裏嘟囔着
　　議論他，
　　他覺得，自己臉孔的面孔
　　被抓掉，
　　像一尊神
　　從神台上跌下。
　　他覺得，有一架風箱
　　在煽他熱情的火焰，
　　理智的冷水
　　蒸發成雲煙，
　　他覺得，有一隻手
　　從人羣裏把他擊遠，
　　霸佔了他的白晝和黑天。

　　　　　　　　　　　　　　77

X

軍長的房間裏
從來是談兵，
今天夜晚，它成了個
和樂的家庭，
一盆炭火，像一座火山，
熱力向人的頭眉非進攻，
一條一條的紅炭
像一條一條硬漢，
咬緊牙關，在忍受着炮烙之刑，
舊軍長，英雄氣概
不再住在他的眉尖上，
他心窩裏
換上了一副兒女情腸，

78

她一笑，
炭火有了熱，
蠟燭有了光，
兩位將軍同時作了她的俘虜，
心頭上
卸下了世俗的偽裝。
知道了她是一個教徒，
參謀長，用口搬弄一些經典，
崇敎儀式，唱祈禱歌，唱聖詩，
熱情和歡笑把他變成一個孩子，
蒙軍長拉近了他同她姐姐的距離，
其實，他還叫不出她的名字；
他說他是基督教徒，
十年前，就加入了一個基督教的隊伍。
李蒂，原來坐在她的身邊，
慢慢的把自己退縮到一個角落裏去，
爲了避開別人的視綫
文曼魂，她笑着，應對着，
坐在家裏一樣的自然。
主人家，用遠方的哈密瓜

79

招待客人，一個嘴角嚼着遺佳味。
一個嘴角漾出了故事：
在新疆，在產遺名瓜的地方，
他，葛軍長，帶着隊伍
碰進了土人設好的羅網，
他那個時候還是一個團長，
一張口征服了幾千人，
他投到虎穴裏匹馬單槍。
「隨着部隊登過千重名山，
涉過萬條水，拿旅行的心情去迎接遺一
　　些，
它們報舊你以詩的情趣靈的美。
一座山，盤多少天，
沒有路，沒有人煙，
掉下來的樹葉
可以埋人，大自然的威力
佈列在人類的眼前。
猛獸給夜叫出威嚴，
風追着虎，人間的光亮注進他的眼，
玩味着粗獷，恐怖，荒涼，

80

挨不著生命的邊緣，
身子，反轉到幾千年前，
餓慌了的眼睛，乍看到飯，
胃口裏伸出隻小手，
一把一把的抓著往裏塞。」
寫軍長，站起來，
在地上來回的走，
他要走出眼前這世界；
抱吟把眼光射向她的眼，
她的眼光射到天上，還沒有回來。
　「抗戰以後，我想脫去這一身血腥的軍
　　裝，
我另有一個，另有一個夢想：
科學家，工業家，音樂家，
更少不了畫家和詩人，
男的，女的，朋友共有一個趣味，
組織成一團，到處去訪問，
訪既南洋的夏天，椰子樹下
聽女郎的歌子把熱情點燃；
畫家的彩筆

31

薰飽了生趣，

滾滾的海洋

流入了筆尖；

站在喜馬拉雅山頭上

我們的音樂家

把歌喉放開，

天風把她的心聲

吹滿了整個世界；

金沙江上的黃金

像幽閉深閨的處女，

我們的工業家

成了他的意中人；

科學家，可以把整個宇宙

做他的研究室，

帶着眼睛的顯微鏡

到處都是真理的標本；

大戈壁的沙漠

像一個永遠做不完的夢，

詩人的詩句，

追着叮咚的駝鈴，

82

萬里長城像一道虹，
塞外的土地，
擴大了詩的心胸，
山的雄偉，水的蒼涼，
入到詩骨裏，
鑄成了朗爽的磐聲
　冷亮的光芒。
我們用雙腿跑路，
那裏累了，那裏停住，
景色如果有那分魔力，
我們也願意為它多留幾宿；
但是，塞外的荒原上
也無妨跨上馬背去探秋光，
坐上松花江的小船，
船艙裏載滿了燦爛的夕陽……」
萬軍長，像做完了
一篇美麗的詩，聽的人
把整個的生命沈在詩韻裏，
抬吟遞給她一雙眼睛，
她望望他，用心說：

89

「我猜得透你的夢」。
細碎的腳步，低微的笑聲；
把不盡的餘興帶到了冷落的天井，
朗朗的明月等候在天上——
迎接她的一盞燈籠。
徘徊在門前的場子上，
同月亮一同迎候她的
有范醫官，和他的朋友黎隊長。
他兩個，口哨響在嘴角上，
追逐，打鬧，像兩條生命
翻騰的巨浪。
他兩個，眼光像金鈎
抓在她身上，貪饞的望着
三個影子從月光的海面上
一步一步划邊，
她的心艙裏裝滿了神祕，
抱吟同李青，一個人一邊，
像護航的戰艦。
樹木在地上
投一個影，

84

枝條曲起胳膊

在做夢，

怕驚醒腳下的小草

把腳步放得十分珍重，

他把呼吸勒成一條線，

默默的偷聽她的心聲。

越過了清澗集，⑰

清澗集沈在月光的水裏，

家家門板像夢的欄杆，

他們三個，走在別人的夢境上邊。

她同抱吟比一下高，

手像刀片切在他耳朵的上峯，

她把他的軍帽

抓過來，扣在自己的頭頂，

笑着喊一聲：

「你看，我像不像一個小小的女兵？」

小河像一匹潔白的綢，

月光在綢面挑上金鱗，

水浪貼近耳邊唱歌，

一周，歌聲又像來自天上的銀河。

85

三個人在橋上，
三個影在水中；
一個人在橋頭立住腳，
看那個影兒在地上移動。
把吻，他並不立刻走開，
他留戀着這個詩的世界，
像玩味一件百看不厭的珍寶，
從衣袋裏取出她的信，
當常月亮把它打開，
一個字是一顆月明珠，
月亮，星星，分得了它的光彩。
人間有了愛：
山才青，水才綠，花才香，
太陽才溫暖，鳥兒才歌唱，
人心才不是一朵泥塊。
紙上的字，從眼底跳到心上；
不借月光，他也能讀出它，
從頭到尾一個字也不許差。
有些地方塗抹得不成樣，
濺出去的憨情又要用墨水來淹藏。

86

字跡留一些殘缺讓人去尋味，
缺陷給馳騁的幻想
開一片美的曠野。
這時候，抱吟，他不是一個人，
他是一尊神，乘起月光織織的小艇
划着詩和幻想的雙槳，他從人間
划到了天上。
他醉了，
他喝了太多的
愛和詩自釀的酒漿，
風，從他手裏把紙箋系走，
乘他不提防；
他的心一跳，蹦出個不辭，
他悲傷，悲傷的望着
愛情飄在流水上。
他匍在斗室的小牀上，
幻想的蝶兒
紛紛的在他心間
閃耀着金色的翅膀，
詩思比海濤還壯闊。

87

衙纂得他心岸澎湃作響。
他看見月光像愛情的顏色
一格一格照滿了紙窗，
他披起衣裳，走到桌旁，
點亮了小燈，拔開筆，
讓熱情泛濫在一片紙上：
「開在幽谷裏的花
它的香最淡遠，
偷來的愛情
比蜜更甜，
因為，它的花朵
不開向太陽，
不開向人眼，
它祕密開在我心的花園，
我用熱情
向它澆灌，
我用苦水
向它澆灌，
藉一陣輕風
它把個影兒搖到了我的心裏●

58

我愛著你——
一顆心，一點天眞，一個美的影子。
我要你越奢，
你越吝嗇不給，
一手把我推開，
有意叫當中拉一段距離。
你的笑，
是亂在晴空裏的彩雲，
你有淚，
那該是蘇生的甘霖，
你聲嬌的銀鈴
給我叫開了天堂，
我想望在你心胸的搖籃裏
貼伏下我孤苦的靈魂。
我等候你
在烏昏昏的清晨，
我等候你
守一盞燈，開着一扇心門，
你握着我生命的鑰匙，
你是我心坎上供奉的

89

一尊女神。
　名義上的夫妻
是一個痛苦的結子，
　靈魂，它永遠追着愛，追着清新。
我像一匹落荒的野馬
闖進了人家的花園，
我撒歡，我嘶吟，
但是，同時也有些輕微的戰慄
搖動着我生性的心……」
抱吟，在每個字體上用心，
像上書給一位女王
檢點過一遍又一遍，然後疊好它，
按着他心的式樣。
天剛亮，他便把它交給了他的勤務，
他是愛蘭的親戚，他的監視人，
他像一隻笨蟒，瘋長了三十多歲，
頭蓋骨下裝的不是腦汁，
是漿糊一盆，
抱吟交給他，
心裏却不害怕，

90

「嚴守祕密」的命令
早已封死了他的嘴巴。

91

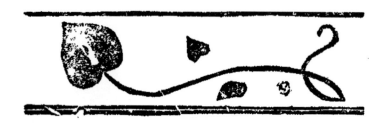

XI

白天也好，黑夜也好，
那支小白旗
老是向他招搖，
還有那額上的兩朵花——
永遠開不敗的笑。
唱着戀歌的小河，
那石子橋，那水車，那草棚……
自然的景色，再染上
他詩的幻想和熱情，
把她造成了一個
絕對的美的典型。
她充滿了他的眼，
活在他每一次的呼吸中，

92

她充滿了他的心，
把他的思想濾淨。
他在她的笑渦裏陷得越深，
外邊的議論聽起來越怕人，
口風可以吹千里，
庸人最喜歡嚼自己的舌根。
「攬住心，今天不去見面！」
一個誓願還沒有豎立穩，
便有個聲音在遠處呼喚，
他抓起帽子，披上大衣，
手杖握在掌握間，匆匆的出了門，
像做賊的人見了月黑天。
他做出莊重的面孔，
慢放着步子，眼光射一條直線，
他跳下了背後的田埂
像跳進了詩的世界，
腳在地上飛，手杖在半空中飛，
有解脫了的快樂瀰曳着心，
鬆土像水，
浸入了鞋筒，跋滿了衣襟，

93

他飛過了麥阡，滑下了河岸，
帶水涉過了小河，飛到了小草棚裏
帶着快樂的粗喘。
一屋子人影在抱吟眼裏
亂旋轉，范醫官
第一個跳進他的膜。
他在作她的助手，
她在換藥，忙得像跳梭。
那裏來得這多人？
他們不是來治病，
是來治療精神，
也有老太婆來討藥，
聽她那一陣沒頭的絮聒。
「范醫官，你看這藥用得可對？
謝謝你，明天再給瓶紅藥水。」
他趕忙點頭，像服從着一個發命，
最後，她送他一個笑——
一個無價的回歡
抱吟，他討厭這個笑
笑得多卑劣，

94

像一□利劍
劈得他心頭出血，
「凍壞了吧，抱琴先生？」
笑，飛過來了；這個笑，
這麼美，這麼涎唾，
又他立刻感到了慈祥。

95

XII

雪，落着，落着。
麻雀用翅膀藏沒了頭頸，
竹枝的細腰
在雪的壓力下打躬，
一盆紅炭火
替斗室衛護溫暖，

窗紙上，雪色
頂替了陽光。
沉吟，他在替她改一篇作文，
字句裏有笑，有淚，有天真，
像一個孩子剛學着邁步，
稚氣的樣子給人個歡心。
他細心地削着每一個字，

96

像一個農夫，用鐮刀
從禾苗叢中鏟除着莠子，
他一絲一縷的鑱理她的感情，
像在她的心上
作了一次旅行，
他向思想的老海底
打撈一個合適的字，
像安一個螺絲釘，
扭，扭，一直把它扭死。
他願意把十年的經驗
做一口吐給她，
他想叫自已的感情
同她的攪和成一氣，
他想吸一支煙，可是，他不敢做一個罪
　犯，
他的心上銘刻着她的告誡。
「煙，不吸它吧，
它會把人的腦子燻黃！」
他想起了，她誇獎過
他那件衣服的顏色，

97

她願意，他用什麼式樣的
小手巾，她勸過他
買一件皮大衣，騎在馬上
才更有意思。
他想起了她用竹籃
送來的鷄蛋和紅棗，
雪天斗室裏享受它正好，
他把鷄蛋搜在火上，紅棗搬進樽缸
神秘，甜美，和平，屋子裏的空氣
恰好配合了他的心境。
雪景引誘人
走出房門，
踏着雪花的脚跡
一步一搖走來了黃昏，
雪，把世界的煩囂，緊張，紛爭，
整個兒給埋掉，
抱吟的心頭上
整伏下一個悠悠悠閒的情調
雪花落在他帽子上，
衣服上，他彷彿聞到了雪花的香，

48

暮靄籠過的卓棚，還有邨旁流水，
該是個什麼樣？
「給她個突然的歌聲，」
他想，這時候，她一定守在安靜的
　窗旁。
他心底
復活了一個記憶：
在大別山，一個春天，
聽着牛背上牧童的歌唱，
跟着樵夫走在山徑上，
隨手採來了山花，
不同的名子，不同的顏色，
把一頂草帽插成了花冠。
呼吸着青春的氣息，
花的香，他去會見心上的
一個女郎；今天，
他的心情也是一樣，
步子落下去，雪叫出清脆的細響，
腿像雙鴛，插進了尺八深的雪浪。
歡樂把他的小心帶走，

99

手被一下子點不亮，
腿陷入雪的陷阱，
拔出來，爛泥順着褲管直流。
他沒有生氣；反而添了一點詩意。
種下了一個記憶；去換她一點憐惜。
他一手推開了她寢室的房門，
黃昏，寒氣，乘隙撲進來，
小燈打了一個寒噤。
「呵呀」，她最先從板凳上
跳起來，一聲驚訝，
攀望他的腿
跑上來，替他打一打身上的雪花。
她們正在晚饗，三個人
一大瓦盆菜，油餅，米粥，香味
引出人的口水來。
她們，大家動手，大家享受，
也不分我是主人，你是工友。
她們的生活
才有個真的意義，
抱吟，他覺得自己

100

是水皮上的一片油脂。
她送給他一塊香餅，
又跑去給他取一棵大蔥，
她笑了，笑彷彿可以下飯，
他的口味她猜得準。
把一抱木柴架在屋子的中央，
一支火，她使它發光。
笑在顫邊閃動，淚花
吉掛在她的眼皮上。
生煙辣得人
流鼻涕，滿臉淚，喉子眼處拉煙，
火口悶燒著，像在
大嚼著陰冷和黑暗，
鮮紅的舌頭不住的伸搖，
把抱吟的柴撕咬一氣吞完。
如果這堆火
共著在曠野裏，高山上？
周圍的黑暗，
像鐵桶；
一們流浪人

101

在異鄉，茅店裏的夜

像回憶一樣長，

這樣一堆火，會送給他

溫暖還是悽惘？

風雪驅逐著一個

無家可歸的叫花子，

破麻袋同他的牙巴骨

合奏著一支寒夜曲，

他的呼吸在他的鬍鬚上結冰，

白髮是黑夜的一絲絲光明，

他摸進一座曠野裏的古廟，

瓦縫牆縫，四下裏來風，

他卸下了背上的一束柴，

手裏抖戰的火鐮，

在火石上碰出火犀

柴火給他了熱，給他了光，

給他了凶神惡鬼的臉子，

在牆壁上描上了他自己的一個更可怕的

　　形象……

抱吟，牽困了他詩的幻想，

102

看著她的臉，更美，更紅，
隔一道火光。
老房東，近來迴避著抱吟，
這點世故叫人不忘，
小倩，今晚她也下來逗趣，
孩子一煞黑，就駕上了夢的翅膀。
那些人，新的，舊的，集攏在她身邊
今夜晚，寒冷鎖住了他們的腿脛，
范醫官，也許來過，在他以前，
也許正在計算著一個合適的時間。
今夜晚，他是這世界的王，
他望著她，她望著火光，
她說著動聽的自己的故事，
牙齒在她的唇間閃光。
「李菁，怎麼不說話？
是在想念心上的那朵花？」
李菁，低著頭，一聲不響，
誰知道他心的蓬帆。
到底跟隨了那個風向？
抱吟，翻著他的日記，

103

眼睛飛在字行裏捉捕神祕，
他讀出了她的心，她活生生
思想的嫩芽，每一頁上
那記載着那個人的話，像一條鞭子
鞭打她向上，向正義真理的高處爬。
他讀着，頭並着她的頭，
她的髮尖搔得他快樂得發癢，
她突然笑了，把本子搶開，
她卻沒搶走下面的幾行：
「抱吟，是一個好人，
他熱情又天真，
他在官場裏，
沒有官氣，
一點也不驕傲
雖然他是一個大詩人；
萬軍長是一個英雄，
也是一位名士，
今夜的談話
在我心上印得很深。……」
夜多深了？誰知道。

104

門外的雪花還在飄，
　抱吟回頭在夢境裏飛，
　遠村裏有一兩聲犬吠。

105

XIII

十幾匹大洋馬嘶叫在
茅棚前面，催人起身，
茅棚裏坐着萬軍長，
花吟，三位師長，加上
宋參謀長，還小草棚
成了送別的長亭。
李萍，侷促在一角，像不存在，
急促的喘息報導着心上的氣壓，
她，笑着，說着話，每個人
獻上一杯茶；沒有什麼
能遮蔽她天真的光芒，
別離對她也無辦法。
劉師長光頂上的稀髮

106

是出名的「鳳毛麟角」，
他的肚子是個笑話籃，
他的嘴唇永遠磨不薄。
「怪不得詩人一天『三顧』，
多麼詩意的一間茅廬。」
看看抱吟再望望她，
他的樣子就是個笑話。
「文小姐，那次光臨梅林莊，
沒能夠迎駕，今天當面來請處罰；
請抱吟替我講個情，
我情願認罰一杯茶。」
張師傅，幾句話
使她逃到門外，却把一個笑聲留下。
「你們看，一個在茅廬裏
默默的一句話也不說；
一個，站在尺八深的雪地上
連寒冷也不知覺……」
「為什麼不帶照像機？
這個鏡頭丟了真可惜！」
一個唱，一個和答，王師傅

107

接了參謀長的話巴。
范醫官，一個紅十字皮藥包
像個小孩子，攀在他背上打秋千，
好久了，他蹲在地上劃着雪玩，
聽水滴落下茅簷。
「蔞軍長，祝你一路平安，
問候蔞太太。祝福你們
有一個團圓的新年。」
她把這話送給他；
她瞪着眼睛看抱吟上馬，
馬蹄扯拉着她的視綫，
馬背上，他的眼光牽着她：
頭髮飄，白手巾飄，
她的影子像一顆樹，
漸矮，漸小，最後一閃閃，
一片白色掛在樹梢。

108

XIV

抱吟，像一椿木頭
長在馬鞍，馬不停蹄
去替萬軍裡兌現一個心願。
化雪天氣，難得的太陽，
山村，小路，灑滿了金光，
喜鵲在報什麼喜訊？
愉快使它嗓子發癢。
抱吟，他最喜歡這弋境
過冬日的明朗，陽光的溫柔，
山村的鷄犬，村頭的牛羊；
他愛煞
遠山上雪色白茫茫，
閃耀著一個幻想；

109

馬蹄拔着雪泥，
帶一串鈴響……
可是，今天他的心失落了，
失落在一個地方，一個人的身旁。
馬蹄，黃昏，
一同落脚在一個山村，
茅屋，土牆，孩子們的眼光……
抱吟醉心的這個詩境，
今晚，給他的是一個苦痛。
萬軍長玩笑的話鋒，
毒箭一樣，把他的「心」射中，
「刺」的一聲，箭桿在顫動！
小燈照着他失眠，
疲憊壓不住眼皮的翻轉，
小牀是個活地獄，
他在愛情的油鍋裏受着熬煎。
像寄居在另一個星球上，
誰知道飛開她有多遠？
日子過了一天
就像過了一萬光年。

110

重溫多年的往事一樣，
他追憶着那條流水，那座草棚，
她的一朵笑，一個舉動，
這一些，在記憶上忽然活現，
一時又模糊，像照在走了水銀的鏡面。
萬軍長，黎隊長，
還有來自清澗集的那些篛士。
抱吟對他們
從心裏感到親密，
就是在范醫官身上
他也想伸出熱情的手臂。
過襄樊，還是舊日的水，
舊日的山，三年前的一個夢，
今天，它已經凋殘。
教堂的高樓，像通到她身邊的一條路，
給他一個慰安
那座大醫院
也給他一個幻想：
「我願意病倒在這裏邊，
給她發一通急電。」

111

在年關的熱鬧裏
他寂寞；
在大街的人流裏
他孤單，
他，帶着要哭的心情，
冒着壓倒的危險，
到官場去說官話，看假臉，
去吃人情，一分一分挨着最苦痛的
　　時間！
人，爲什麼
不能主宰自已的命運，
叫身子作「矛」
去剌心的「盾」？
抱吟，他開始了恨！
他恨萬軍長又愛上了
都市妖精的紅唇，
他恨范醫官
爲什麼臉上不生愁紋？
愛，就愛個死，
眼淚，苦痛，失眠，發瘋，

112

要愛，就押上整個的生命。
夜深了，他跑出去寄信——
他給她寄去了一顆心
回頭來，他走在冷落的街上，
他想，這時候她在做什麼？
在烤火？陪着別人閒談？
在對着燈光給小倩打毛線衫？
不，她已經睡了吧？夢，把她馱到
　　他的身邊。
他想他腳下的石板路，
曾經親近過她的腳步，
一個步子一個幻想，
幻想的花朵一齊開放。

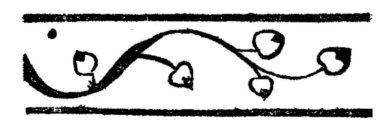

XV

鄖陽，傍著漢江，
公路像脈絡，從四面八方匯注到
這軍事的心臟，
這不是萬軍長心上的
那個地方，這是最後的一個站口
接近他的希望。
鄖陽，這伍子胥的故鄉，
抱吟和他的斐茵。一年前，
鳥兒一樣，撲到這兒，
一停，翅膀上滑走了兩年的時光，
他們安身的遊家飯莊，
他伴著她，不止一次的
投奔過來；頭上頂著

114

六月間的太陽；衣服上帶着
冬天的雪，秋日的霜；
　　也曾經戰地歸來，
一進門，拍一下衣裳，
拍落了一地疲勞和春光。
他還記得，他們住過
幾號的房間；
那流浪人壁上的題詩，
他一直寶存在心裏欣鑑；
老茶房，朋友一樣，
打着親熱的招呼，
帶着歡迎的笑臉。
他還記得，他們躲過那個防空洞，
吃過那幾家飯館，
悲哀，歡喜，冒出頭來——
往事一件又一件。
他望得見那間小茅房，
他們的小巢，蓋着它的冬樹，
像一柄破傘。
公園，像一顆冷透了的心，

113

習慣了人間的寒暄，
從乾瘦的樹枝上
去想像春天的燦爛，
從枯葉的悲鳴裏——
去認識人生衰影的緣故。
他的朋友，一出門就礙眼，
他們都是證人，證明
繫着他和婓菌的不是愛情的緣
是痛苦的鐵鍊。
萬軍長，預備好各式各樣的話，
見了什麼人，總給他一套什麼，
配搭得痛癢到極點，後一行人
聽了，心裏都暗暗點頭賞鑒。
他的胃口也擺好有班，
這頓甜，那頓鹹，請客的人
得頭三天預訂好時間，
都會，是他靈魂的藥圈，
繁華像花照亮了他的眼；
抱吟，他恰恰相反，他的耳朶裏
只有那條流水淙淙；他的眼
還想的是；荒野流線都有只

116

只有那支小白旗在招展；他整個心
被一個影子填滿。
萬軍長，用快樂的口風
說出一個美麗的夢：
「我的家在鄉間，
她，知道怎樣佈置一個新年，
歡迎你，我們的詩人，
我給你預備一個詩的房間；
西峽口的葡萄酒
斟在南陽玉的酒盞，
你的口味我全知道，
放心，少不了你的花生米，大蒜；
元旦，坐上我們新製的馬車，
叫兩匹大馬，挹着我們到處遊玩；
高興的話，我們坐上「小車」
去參觀我的牧場，牧場上
遊走着雪白的小羊……」
現實的腳步老追着希望，
近了，一伸手可以抓进他的衣裳，
一掉頭，飛遠了，希望用快步轉了個方

117

向，
豫東突然起了戰事，
敵人陷落了駐馬店，
南北一湊，他想把平漢線打通。
斐茵的家切落在那一邊。
敵人有心同萬軍長搗亂。
向着他的防地攻擊，
追他回防的急電，
也同樣向他的美麗計劃進犯。
斐陽的神經最敏感，
戰事的昇降，像寒暖
　落在水銀柱上一般。
萬軍長，心窩放上一把亂草，
每一次電報，使他擦手掌，憤恨。
跟着一聲長歎，
敵人同太太的影子
一起一落，
他的心是一頁踏板。
讓他一個人在屋子裏的地上，
從這端到那一端，沒有次數的往返；

118

可是，沒有人敢去觸他一面！
他瞪著逃警報的人羣
走進防空洞，
為了消息的流通，
電話鈴盡夜得不到安閒。
抱吟，做一個苦臉給葛軍長看，
心坎裏却埋着要爆炸的喜歡，
他膜祝戰爭再急烈些，再急烈些，
叫大砲轟碎葛軍長最後一點
　　還餘的地盤。
閒走在大使上，抱吟用快樂的步子
走進一家商店，又走出來，
到處溜眼，看有什麼新樣的東西
可以做禮物，去換一份喜歡。
葛軍長，明天一早回防，
他的命令忙壞了一羣副官。
黎隊長也挨了罵，
為了事情沒有芝蔴粒大。
晚上，他把抱吟請到他的房間，
幾天來，抱吟，他像遺失了一般，

119

覆軍長，他的臉不像是朋友的臉，
他的話裏沒有包着一點情感。
「我明早回防，你留在這邊，
還裏的朋友很多，可以不愁寂寞，
戰事平息了，我再返回，
你沒有必要跟着我受罪。」
「不，那不能，為了友誼
這點患難我一定要共，
我是幹什麼的？別人
在戰爭的漩渦裏拚死，
我却躲在安全的涼蔭裏偷生！
你知道我參加過
多少次戰事，台兒莊
我們就一起，
大別山突圍，兩次
隨棗會戰，
那一次我不是作一個文化兵
同弟兄們一起
戰鬥在前線？
我決不一個人留下，

120

一定要陪你去參加戰爭，
我知道，受罪比良心的鞭打
那分兒的輕重。」
抱吟，顫抖著聲音，
臉發紅，耳朵也嘶嘶的鳴。
他像一個孤臣孽子
替國家力爭一個運命。
汽車的飛輪
跟不上人心的旋轉，
萬軍長心裏
燒一把火，
抱吟却有悠閒
去欣賞自然。
愁苦和快樂
對人都不專，
才幾天，同一的道上
他兩的心情恰恰來一個交換。
接近了清澗集
他害怕得要死，
心跳得厲害，

121

希望逼近了現實！
「那座小草棚
還會在那裏？
還有向我的心
打過多少次親熱招呼的那支小白旗。
她已經不在了！
淒涼充滿她那間住室，
我能向誰，向那條流水
詢問她的消息？」
幻想在他心裏
成了形狀；
一碰面，笑花在她雙腮上
突然開放，
劈頭問一句‥
「豫東大戰，斐茵怎樣？」
眼前的真實
在拖吟眼裏像一場幻象。

122

XVI

飛機，按著課程表
天天來上空嘯，嘯，
大砲在山谷，在人心上
找到了自己的砲聲。
萬軍長，戰爭
是他的一個苦戀，
放下電報，
拾起電話，
沙沙的喉嚨
叫人可憐，更叫人害怕！
坐下，站起來，
站起來，又坐下，
眉頭上結一個大的疙瘩。

125

他在五萬分之一的地圖上

尋找什麼，

向粉紅的箭頭，

黑的方框，

苦着臉，俊着；

最後把頭點幾下。

不吃飯，

不睡覺，

不說話，

他沒有白天和黑夜，

他只有太陽和白蠟。

當戰事緊張到頂點，

電話鈴一叫，

他，心一跳

呱，呱，鮮血一口一口

像噴泉向外直冒；

參謀長，同敵人鬥心機，

辛苦掛在他紅腫的眼皮；

副官，他一聲聲敢激惱，

軍長叫一聲，

就得立刻到人，
給他打藥針，
注射精神。
文憂魂，忙得
恨不能分身，
地上染着血滴，
衣襟上開着血花，
從擔架上把傷兵接下來，
敷好藥
再送走他，
抱吟，他帶着鋒部隊
上前線，
三匹馬子
他跑在頭前，
他像一個英雄
那麼勇敢，
老練馬不夠快，
一勁在它的屁股抽顫。
這時候，
他什麼也不想，

125

只想一步趕到前方，
他的大胆
保證他不會死，
他的心
打飽了戰鬥的空氣。
敵人的死屍，
零零落落的在地上
等着鬼來登記，
閉上眼睛
也掩不過親手製造的「業績」；
指吟，打着馬，盤過嶺，
翻過山，一花一在
放進了戰爭的核心。……

126

XVII

戰爭
從人心上退了潮,
一場新雪
把什麼都蓋過了,
她在黃昏時候
曾經來舍抱吻,
白天,她不敢走動,
她說,她怕人們的眼睛—
她想把自己進化個秘密,
可是,剛走到窗子,
笑聲便走漏了消息,
她走了,
淚空還在衣角上,

127

她的小臉龐
泛濫着笑的波浪。
了要請你來玩吧，
就忘懷了你；
不請你來吧，
心上總缺少了點什麼東西」。
唱着她的儂，越唱越甜，
叫大衆把頸子抱緊，
他在冷氣流裏刻着身子，
行蹤留在白雪上，
像一顆顆磊落的心，
他唱嘔嘔的走近了
草棚，
唧唧嗦嗦的說話那些隱約的透出來，
像接受了一般驚恐，
他停住了脚——
站在別人的祕密圈外，
他什麼都明白，心一樣，
退到了她病家的大門關，
身子發着抖，

128

冷風冰他滾燙的臉。
時間
把兩個人涂出了草棚。
並着肩膀，談着話。
談得那麼親切，
表情告訴人那話的分兩。
當她一回頭發現了抱吟，
抱吟把眼光移向了遠山，
她，一句一回頭，
像一個線鎚子雨下裏搖。
一個土坡把兩個影子從抱吟眼角裏
抹去了。
當他再看見時，只她一個人
在雪的閃光裏向着他飛翔。
她跑到劃面的溝旁上
立住了，撒一個嬌：
「給我你的手。
雪太深，我怕跌倒！」
他給她一個冷臉，一雙冷眼。
盯住她的臉殘酷的說，

12

「在你的腮上，我有重大的發現↓」
「抱吟，你的眼可怕，
你的話更怕人！
從來沒嘗過這苦味，
我的腿都站不穩！」
「我可以給你我的手，
但是，它不是一誄橋梁，
把你渡過我們中間的這跤鴻帶。
「我知道，你們說了些什麼，
我明白，他到那兒去，
他到梅花莊去找你的先生，
求他幫忙一件事情。」
「你病你也許是真，
但是我有自己的一顆心，
我是個孩子，我工作，學習，
我還不懂得愛情和婚姻的意義，
你聽信了謊言，有了心，
我問：有人說我做了漢奸，
你也會信相？」
她戰勝了他，不是用她的話，

他第一次看見
愁苦結在她臉上。
兩個黑影，像污點
玷污了雪的潔白，
向蒼冷僻的山谷
一步一步的移動。
坐在雪地上，並着肩，
山坡做了靠背，
風，輕微的戲弄着
枯樹的枝條，她的髮梢，
眼睛裏的光幽
溶進了白茫茫的雪色。
對着遠山，像在讀一幅名畫，
出頭精神的對着人，
你的靈魂可以直通到它的心。
山村，在做一場冷清的夢，
小狗也不叫一聲，
雪，掩埋了頌讚和血腥，
在美的面前人變成神，
靜的神力壓得人不敢出聲，

131

他偷偷的看看她，
不敢向她挨近，
她那麼美，那麼輝，那麼莊嚴！
老遠老遠的空間，一隻飛鳥
慢慢的慢慢的移動，漸遠漸淡，
一點一點的灰影象
把茫茫的天藍，寂寞的雲色，
時間的意義，人的心情，
全個兒帶給了夢的渺茫。

132

XIIX

十五，天上有一個大月亮，
抱吟的心頭上
也站立起一個美的希望。
想像給他佈證好了
快樂的氣氛，
他走出了門，想走向那
流水邊，光場上，
那月亮最明的地方。
黎隊長，迎頭衝上來，
「拍」，一個正立：
「參議，軍長有請！
軍長的房間裏
有很多的茶點，很多的人。

123

抱吟一進門，輕微的騷動了一陣。
為什麼關起窗子？把蠟燭熄了
清光不更多嗎？他坐在座位上
像泥胎，他的心
在遊歷另一個世界。
「應該開個檢討會
檢討這一次戰役的得失。」
「是，我們正在準備。」
參謀處長回答着立起身子。
站起來回答的是誰，
可以不問而知。
「軍需獨立，我們應該首先來實行。」
從戰事到士兵身上的蝨子
他全問到，
今夜，不像是在過節
像是在會報。
軍長，不叫一句話觸到快樂，
他心上沒有元宵，
參謀長，也不大笑，
抱吟，他是在坐牢。

134

當他得到了解放，一個人抬頭望
　見月亮，
他想哭，却又笑了。
他怕驚動了什麼似的，
躲閃着走上了村子的脊背，
他望見一個人影，他知道他是誰，
從清澗集的大道上
向着軍部急急忙忙的晃動。
脚踏上田埂，
他溫習着快活的心情，
　口裏亂哼哼，
不是他想唱，
手杖，
想從手裏飛掉，
脚尖濺起的土
從鼻孔直香到心臟。
他聽見了
水的歌唱；
他耳朵裏
滋進來笑的聲浪，

135

他醒兒

兩個人影在地上跳動，

月亮在天上。

（……，誰失明了一個樂瓶，

一個驟然的刺激破壞了他的神經，

這怪病暫時把他帶走，

剩她一個人守遺個草棚。）

他躲到了草棚的簷下，

他鑑賞她們的每個動作，

每一聲笑，每一句話，

她們像兩個天使，在這大腳靜的深夜裏

爲了好玩，乘著月光從天宮降下。

他團一把雪，

扔過去，把銀花

散了一場子，

聲音立刻停息了，

他，從她心上跳到她眼裏。

場子像一口清澈的池塘，

月亮把人的魔鬼照著。

她用帶有一種清香的小手帕

136

在抱吟的雙眼上，
跑着，笑着，摸索着，
他同小儔她蒂捉迷藏。
（孩子戀着月
不肯上床。
一同「招星歌月」，一個又唱狂。
石今夜，快樂的花朵有多少佩。
爆竹，狂歡的信號，
這裡響，那邊也響，
村子裡也有地不住的旺旺。
「機手狗」前來我，這兒那兒閃光，
像神話裡燈籠照着仙家夜遊一樣，
聽了媽媽的呼喚，小儔，戀戀不捨的牽
着她的衣角回了家，
抱吟同她，聽了澱水的呼喚，
慢慢的走到河邊，貼旺的
在一片平沙上坐下，
一個月亮
在天上，
一個月亮

在水中，
波浪簇動着千萬條龍蛇，
月光洩下來彷彿有聲。
默默。她的心跟了流水。
「人間爲什麼要有殘害，陰險，鬼詐，
　不平？
爲什麼我聽不到良心和眞誠的呼聲？
同樣是人，爲什麼强梁的喝弱者的血？
人生爲什麼有眼淚，煩惱，苦痛？
我希望的那個世界，你也說過，
活着的人，每一個都快樂，都會笑，
　　像我，
天天過年，夜夜十五，
人活着不是爲了快活？
我做着這樣一個夢。
我夢裏的世界
幾時才可以在地上成功？」
說完了，她仰臉朝着天上，
眼光，像一條希望。

138

XIX

別離又對他的心施了一次磔刑。
整個夜晚他在收拾東西，
可是，他無法收拾心上的一團亂絲。
這次別離他有個不同的預感，
他對這間小屋子特別留戀。
勤務把她的回信帶回來的時候，
鴿子已嚥嚦的鬧了口。
他站在地上，抖動雙腿，
癡笑着回答抱吟的問話。

他說：「她還沒有睡，
黎隊長，范醫官，都在那兒，
另外還有一位生客我不認識，
正在談論什麼，幾個人圍着一盞燈，

139

我一推門進去，他們立刻鴉雀無聲。」

「又是一次別離呀！

幾時我們再聚在一起

在清澗集這個小小的村裏，

一道坐在沙灘上看月亮，

捉迷藏，說着心裏的話，

聽流水替我們歌唱？」

她的每一個字是一塊鉛

朝他心上壓，想到今夜

他同她的距離，還痛否

也還是甜蜜的。

萬軍長大約也沒睡好，

一大早，軍部門口的場子上

人慌，馬亂，送行的比上路的

不知多了多少。握手，點頭，笑，

抱吻，心冷冰冰的，別人的眼光向他劈

刀！

「走西頭的便道。」萬軍長的手隨便一

揮，

駁馬順從了命令。排成行，

140

一匹跟一匹「達達」的向西去了。
最後，他的手又向右手一揮：
「不同詩人開玩笑，
我們還是走清澗集的大道。」
兩句話，
把抱吟懸空的心放下了。
他低着頭走在閉起眼睛也不會走錯的路
　　上，
他珍惜着自己的每一個步子，
像珍惜着每一個記憶。
清澗集，這小小的鎮市，
像愛情的一支插曲，
它和她一同活在他心裏。
他想拉住街市上的每個行人
親親熱熱的說一聲：
「我們再見了！
走上那條弓背老人一樣的橋，
他把影子給流水最後一次的擁抱，
他用眼睛告別了
沙灘，水車，青石子橋，

141

告別了那遠處的青山，眼前的流水，
村頭的樹梢……
她招待着像第一次那樣，
她的神色却有點匆忙，
機會不再讓他一個人對着她，
相對一分鐘，一秒鐘，
只是對着，不說話也好。
他們剛上了馬，她一轉身回了家，
蒲淵集不見了，
小草棚不見了，
當他發現獒隊長范醫官
也不見了的時候，
他的心陷入了懊惱！

142

XX

他像塊石頭
壓在馬鞍上。
後邊的馬頭
抵着他的馬屁股
它怒吼幾聲，蹄子亂扔，
他這才覺得自己的存在，
加給它一鞭，它一陣小跑，
把斷了的距離線
接續起來。
萬軍長哼着「高台曲」，
快樂還給人個本來面目，
色情的調子，肉麻，露骨，
他一句是男，一句是女，

143

聽見抱吟趕來了，
他讓兩匹馬頭
並在一道。
「你看，眼前的景色
有多好；
一個人幹麼要為愛情苦惱？
愛情只是一個名詞，
它可以解得渴，還是充得飢？」
說完話，他笑了一笑，
這個笑，像一個傻子」。
在一個山窩裏，流水抱着一盆墟，
為了叫跑路的人鬆一口氣，
大自然在創造的計劃裏
才有這一筆。
抱吟他遠遠的看到兩個人，
走下了對面的山坡，流過水，
背一件什麼，一個人拄一根棍。
他們像從圖畫裏走下來，
走在人生遙遠的道上，
一身都是生的野趣。

144

辛苦，也是解放。
抱吟，他向風景框裏的旅人
不轉眼珠的望，
他的眼光射出了一個苦的夢想……
人的腳步，馬的鐵蹄，
掉短了他們當中的距離，
一個人向着他揮手，跑步，
這是李蕡。
陪伴他的，是他們
日記上的那個人物。
他勒住馬韁，
交換了幾句最簡單
然而是最親切的話，
李蕡，山水已經醫治好了他的神經，
穿着濕漉漉的草鞋，掠着鄉角，
從他們的呼吸裏
聽出了一個粗獷，單純健康的人生。
他在一張名片上題了幾個字
像遇见一個久別的朋友
他向她致意，

145

他目送着他們一步一步法挨近端
而他，卻向着相反的方向
撮起了手裏的韁子。
馬戀羣，喰喰的跑
他戀着什麼？趕着把自己
去嵌進一個痛苦的位置。
趕過衛隊，
擦過了黎陳羣。
范醫官，像一個慰安
突然映到了他的眼。
他打開了一個日記本子
自來水筆在紙上跳舞，
他要留下眼前的景物，
每一個感情的波動，
每一條思想的路，
把它們整個兒寄給她，
叫她從幾頁紙上
讀出他身心經歷的一幅工細的大靈圖。
兩間小草棚
像一個生命，被遺棄在山下，

146

它誘引人下了馬，
一大黑碗竹葉茶
冲去了一身的疲乏。
他把身子靠在一棵大樹的身上，
微風把殘葉搖落在眼前，
像一片一片愛的翅膀。
太陽
長在冬季的藍天，
把詩意照上林梢，峯巒，
就連石頭的心也感到溫暖。
它打開了抱吟的心，
愁苦，陰慘，從感光紙上
突然溶銷了，在他的心頭上
安一個靈感的噴泉。
他拔開了筆，他打開了本子，
從筆尖上流下來的
不是墨水，是詩：
「冬天，眼看就到了死期，
跟著來的
是青春的美麗。

147

山更高，
水更綠，
花，開滿了山谷，
那時候，我再來看你。
那時候，我脫去了「官皮」，
穿一身布的皮服，
誰也不知道我的名子，
自由自在的走着這旅路。
樹蔭到處，
給我張着清涼的綠傘，
那裏累了，那裏歇佳，
河水可以洗我的身子，
河岸上排一隊洗衣的少女，
搗衣聲，像詩的音韻
滿山滿谷。
我穿着草鞋走路，
高了興，打赤脚，
泥土叫人從心裏舒服，
也許爲了聽鳥叫
留戀一株柳樹；

148

野店的風味
也許把我的行程延誤；
我不再用錶替我記時間，
清晨，有早醒的鳥兒向我呼喚，
晚上我也走，
如果月亮肯和我作伴。
不怕迷途，有牛背上的牧童
給我指路，
望望叱著黃牛耕田的農夫，
不說話，
我的心便找到了歸宿；
我將帶一身泥巴，
一衣裳襟子花，
把鳥聲，
把水響，
把草綠，
把整個春天領到你的家。
我將吃你親手作的飯，
飯，又香又甜；
我將睡在你茅棚的土地上，

145

像睡在家裏那麼坦舒子
你看病，
我替你拿藥瓶；
你洗衣裳，
我替你晾乾；
你作飯，
我替你打柴，提水；
參星的小眼
看着我們同小情遊玩，
我聽你唱歌
在垂柳樹底，
輕風吹動着柳絲
也吹動着你的髮絲；
十五的夜，
我們到沙灘上去坐，
聽水聲，看明月，
月光把我們解消了
再融合………」

150

XXI

一棵大樹，像一位將軍，
枝條像亂舞的虬龍，
它的威風
遮去了半個天，
籠罩住兩間草棚。
草棚裏，一位女主人
招待着來賓，
讓茶，說話，技巧很熟練，
相貌很美，也很大方，
脂粉塗出了個爛熟的青春。
從她身上認出個文變魂，
上帝創造她倆的時候
是用了一副模型？

151

年齡，生相，能叫一個生人眼差，
連這一點也不錯：鮮紅的嘴唇
蘊藏着兩排整齊的銀牙。
葛軍長同她談笑風生，
笑要從臉上流下來，
隔一張長桌，探長了頸項，
像一隻野獸向着它的目的物
溫柔的靜靜的一點一點的遊擱，
抱吟，他有機會便向她飛眼，
像向着心上的一個人
偷偷的對她的照片。
他的眼光直探到她生命的潭底，
他覺得，她的靈魂裏
缺少一件重要的東西，
那件東西，在她妹妹的
一舉一動一言一笑裏洋溢。
他希望從她身上感到一點親熱，
可是，她的心像水銀柱
冷落在她的空氣裏。
沒有同他說話嗎？

152

說了，一句一句按照「體數」的指示。
馬子在門前發急，
噲噲的踢打着大地，
他們走出草棚，
她跟在後邊送，
她抱歉着只能用一杯淡茶
招待高貴的客人，
她說，夏天路過這裏的時候，
這棵大樹會給人一地涼蔭。
走出了一段路，范醫官
他又把馬頭撥回去，
抱吟盯着他在大樹底下下了馬，
盯着他進了草棚，
他的心打敗了一樣的苦痛，
他知道他找她爲什麼事情。
他的眼，他的心：跟着他，
彷彿看到他
用戰巍巍的手把一封信
呈給她，
（本來，她有封信托他帶給她，

153

一夜的工夫她又變了卦。）
他看見她讀情信，
臉色很嚴厲，像一位法官
要判決一件重大的案子。
他看見他坐在板櫈上，
不敢說一句話，
最後，他看見他們進了那個套間，
談了些什麼，小竹門替他們
　　守住了祕密。
夜把他們留在靈巖，
這個山間的都市，有山味，有海產，
有女人給人解饞。
萬軍長像魚歸大海，
范醫官，黎隊長，
脚步穿過了大街小巷，
抱吟，一個人埋頭在一張小桌上，
一滴墨水一滴血，
他像一個忠實的僕人
向他的主子報告生命的流水賬，
三支洋燭才接上了曙光，

154

馬子又把他馱走——
走向他的心相反的方向．

XXII

多夜在總司令部明晃晃的燈光下
輕輕的移動着脚步。
鷄，一遍又一遍的唱，他們才從招待的
狂熱裏
得到了解放。
萬軍長，還有別的人，
一到在床上，肩幣便解去了
心上的紛援，鞍馬的勞頓。
抱吟，他大瞪着眼，
他已經不知道什麼叫疲倦，
在這華麗的招待室裏，對着這一件一件
陌生的東西，
他像一條活魚，從活水

156

被捉到一個竹藍裏。
酒杯的碰擊聲，人的歡笑聲，
鑼鼓要把人心敲碎，
禮節比人命還重！
還熱鬧，像是為了襯得他更孤單，
為了加重他的痛苦
才有這一場狂歡。
他對着自己的影子想放聲大哭，
他像一個天真的孩子
迷失了回家的道路。
他又鋪開紙和她談心。
他描寫着：在距離他們的站口
二十里以外，馬蹄就漩進了黃昏，
天上沒有一顆星，總部派來的紅燈籠
照耀在馬前，
人，在做夢。
殘雪在地上放光，
枯草把山徑密密隱藏，
馬蹄在石板上撒滿了詩，
人心繫着它落下又吊起。

157

萬軍長，同他的馬夫談得親切又有味，
他是他十年前同棚的弟兄，
今天，他是軍長，在馬上，
他手提紅燈籠
替他牽着馬韁
他撼寫馬總司令
（萬軍長的老上司，
也是抱吟的熟人。）
招待的每一個節目，
一件事，一句有趣的話，
他決不敢叫它漏去。
十二點，開了夜戲，
他同萬軍長坐在貴賓席，
多少羨慕的眼光射過來，
痛苦包一層幸福的外皮。
別人鼓掌，他不知道爲了什麼，
他想閉起眼掩住雙耳，
「怎麼樣？」馬總司令很客氣的問他，
「好，好，」楞掙了一下，
他再不能多找到一個字。

158

馬總司令爲了表示親熱，
太太孩子全出來陪伴客人，
抱吻，他寫着：「看到這個小女孩
使我想到了小情，差不多的歲數，
一樣的精靈。可是，她穿的衣服，
小情怕一生沒有那福份，
還有，她見人就握手，說 morning ，
不問是黑夜還是清晨………」

159

XXIII

這是最後的一夜，把旅途的疲勞
卸在一個小鎮店的旅館裏。
一陣喧鬧的浪潮，平息了，
馬靠了槽，人在床上一伸腿，
享受着一種甜適的滋味。
小桌上的蠟燭告訴人夜有多深，
鼾聲遠近呼應着
左右全是些幸福的人。
抱吟，他被黑夜的溫柔遺棄，
腦子裏嚼嚼着一隻蠅子。
他在地上，走過來，走過去，
他在用步子丈量
這冬夜到底有多長。

160

木板門吱呀一聲開了小半個扇面，
剛好把萬軍長的身子讓過來。
睡衣上加一件綠大衣，
煙捲在他鼻孔裏出煙。
他跨在床緣上，沈默着，
忽然，把臉色放得親切又溫和，
他開口了：「戀愛是一齣醜角戲，
人間如果真有愛情這件東西，
那麼，它是鹽，不是蜜！」
話，叫它停一下，
他用指頭彈走了煙巴。
抱吟，全個生命集中在一雙耳朵上。」
他的心在暴跳。
「快說吧，把什麼都說出來！
一點也不要隱瞞，說它個痛快！」
「老弟，你不要難過………」
要說又不說，話打了個隔頓，
最後還才下了決心：
「范醫官已經和文小姐訂婚！——
在鹽岩打的金戒指，我也不必告訴你

161

上面刻的什麼字，

這次分手，你正爲別離傷心，

同樣的時候，在她的密室裏

有人在碰杯，祝禱，歡欣。

我還告訴你，范醫官剛才還同我請求

一筆結婚費；

話，用不到多說，

你感覺到的，比我知道的更多，

可是，我又不能把話悶在心裏，

爲了同情，爲了我們的友誼。

好在，愛情的蜂刺勁並不大，

痛，也不過是一個兒。

想起你的斐茵來吧，

愛，喜歡新鮮；而人却還是舊的好，

一個三十幾歲的人，

也應該不再讓心放野馬，

放出去，也該及時收回來，因爲，

人生並不等于戀愛……」

抱吟，他一句話也沒說。

他的樣子太可怕！

162

還反應，使萬軍長有點追悔他的話，
悄悄的溜走了，可是，隔一回，
就有人推開門，來探望一下。
他扶着牆走到門口，
向左手的一個小房間望一望，
范醫官。黎隊長，有意向他示威
嘰嘰喳喳在說着什麼。
今天夜裏，他看見
每一條眼光都是刺，
每一個人都是陰謀家。
他喚醒了茶房，半匪半醒的
送過來一筒煙，兩支蠟，
（幾個月的「恆禁」，
為了她的一句話。）
他一口吸個半截，一支接一支，
他抓自己的頭髮，握着拳頭，咬牙，
瘋狂釘在他的雙眼，
要哭又要笑，
像一個蠅子被捏扁了頭
他在地上昏轉。

163

天地，爆炸吧！
人生，爆炸吧！
腦子，爆炸吧！
自尊和仇恨的心
終于使他從瘋狂的邊緣上
控制住自家。
「事實把什麼都說清楚了！
呵，基督的心！天真的心！
我把心血，把名利，把肉體，把靈魂，
傾了孤注，
我輸給了愛情，贏了苦痛，
你不算變卦，
不過，把你的笑，把你的話，把你的心，
原封的轉給了另一個主人，
那草棚的景色
褪得這樣的黯淡，
那流水的聲音
隔了一世那麼遙遠，
一切的記憶呀，我要把你們
從心頭上砍斷！

164

我像一個小孩子，
把希望的肥皂泡
吹得那麼美，
　　那麼高，
　　那麼得意，
想不到今天，我在自己的創造物下
跌死！
你們喝的合歡酒，
它不是米穀的精液，
它是我的血淚釀成，
幸福和災殃
是旋轉的走馬燈，
叫歡笑永遠向着你吧，
我已經和痛苦訂好了百年的合同，
在愛的死屍裏
恨扎根了，
在我，今天什麼都成了多餘，
連這最後的一封信………」
萬軍長笑着走過來
勞頭一句：「你真是個詩人！

16**3**

感情一衝，就沒了命，
連玩笑和眞實的界線
也分不清，
這樣，一句話可以把你殺死：
想不到今天夜裏
我闖了這麼大的亂子！」
他第二次來，是爲了親手結遺的結子
再親手來把它解開，
但是，對拖吟，
這結子越解越結實！
他躺在牀上，閉着眼睛，
他心臟的跳動把他的耳朵震聾……

166

XXIV

又是鄭陽‧萬軍長
做了一個高級訓練班的班長，
他的家安在近郊的一個小村莊上，
門前的一條小荒路
叫汽車碾得又寬又亮，
兩邊的麥田裏
深深的印上了縱一條橫一條的車轍
和七零八亂的馬蹄子‧
一日三餐，幾張桌子一樣的滿，
客人，成羣結隊，排着次序來，
今天軍界，明天政界，
新聞界，文化界，
萬軍長，好似他要把全鄭陽的人

167

都肅一遍。
大師傅手裏的鐵
　勺敲得炒鍋一勁噹嘩响，
勤務兵，副官，呼喊着，忙亂着，
　跑裏跑外，
客堂裏，猜拳，灌酒，
女的聲音被男的壓倒，
一囘，又浮起來。
男女主人在招待上顯出了本領和愉快：
打破了每個人的拘束，
不讓半點冷寞站在一個人的胸懷，
叫一個個客人，帶着過量的酒意，
帶着滿足，甚至有一點悵惘走開。
深更半夜，還有汽車往來，
一雙大亮眼，穿透黑暗，
一閃一閃，探照得老遠老遠。
啦叭嗚嗚的叫喊，
叫來了一羣狗子，發狂的
　追在它的後邊。
萬軍長，新製了天藍色的馬車一輛，

16s

駕上兩匹俘虜的東洋大馬，
堂，堂，堂，在大街上
招來了羨慕的眼光。
他坐在當中，右邊是抱吟，
夫人在左手裏，散佈著一陣一陣
　　脂粉香。
穿過村莊，大人孩子
前前後後包圍上來，看西洋景一樣，
「看，多高，多大，
肥得要滴油，」
男人大大讚賞着洋馬，
老太婆，女孩子，擠眼弄眉，
掩住口偷笑，小聲議論着
這位官太太奇怪的服裝。

抱吟，他的寂寞
深深的扎在熱鬧裏。
別人笑，他也得陪着笑，
把苦惱狠狠的壓在心底。
他常常一個人散步，走得很遠，
立在一個冷落的墳頭上

169

看夕陽，
冷風吹給他一點清醒，
一點自由的舒暢。
從范醫官臉上
找不到自巳失敗的證明，
他死了的希望
迎着春天再生，
旅館裏發出那樣的信一封，
接着，一連十封信去追悔，去求饒，
每一個字裏都灌飽了熱情。
他每一次發出信去，
便給她的回信計算好了日程，
雖然每一次跑到轉信的朋友那裏去
都是撲個空，可是，他不灰心，
經驗教給他：
希望，它從不肯把個滿足痛痛快快
　給人。
他也寫了信給她的姐姐，
還寄給她一些書籍和雜誌，
　他說：「你的圖書桌子太可憐，

170

以後，我可以細水長流的供給。」
他背着人，幾乎走遍了所有店舖，
按着她的心愛買了幾件東西，
（五本書，一柄小刀，
半打手帕，兩個燙金字的日記本子。）
偷偷的包好，纏好，
（在日記本上題了三行字：
「再見面的時候，
希望你寫滿這幾個本子；
細細讀着幾本書，
留心我考問你！」）
在上面寫了參謀長的名子，
另外寫給她一個信，
跑到城裏一家旅館裏去，
親手把它們珍重的拜托給一位回軍部的
　　人。

夜，伺候在軍長的寢室裏。
窗帘已經下了。
燭光，爐火，把屋子裏的空氣和情調
佈置得這麼恬靜，和平，溫暖，安適。

171

燈光給她添了幾分美，
斜靠着一堆發光的被
睡意壓住了她的眼皮；
抱吟，萬軍長，分據在桌子上的兩旁，
燈光，把兩個影子剪在牆上。
一個在閒翻一冊照片本，
一個在打呵欠，用手掩着嘴，
話，半天一句，半天一句的，
斷斷續續若有若無。
「抱吟，還是聽我的話，放手了吧！
那樣一個女孩子也配得上你？
和她走在一道，眞不稱，
想想看，拿到一個場面上去，她能見得
　　上人？
你已經不止一次的從愛的苦海裏泅出，
一晃，就是四十歲的人了，
戀愛，應該讓給我們的兒女。
就是怎樣不好，
『一日夫妻百日恩』，
也應該記起你的斐茵，

172

她在受難，她快要生產，
一個人，不能只記住自己
忘記了別人！
回想一下，你們五年的戰地生活，
患難裏結下了多少不平凡的記憶？
還記得我們在前線的情景吧？
你作詩，她配曲子，
多少個場合，她的歌聲
從人心的深處掘出了生力！
還記得我們在桐柏山頭放野火？
呵，你看，這就是那時的照片，
你拄着一根手杖，她穿一身軍裝，
火在燃燒，燃燒在我們的眼前………」
太太從床上站起來打着寒噤，
他兩個，想用話頭
把一個盲目的愛情
領上一個正確的方向。
近來，這樣的話，
每天晚上，像上課一樣
抱吟，

173

他就是一個矛盾！

夜裏，他做了一場夢，

斐茵死了，他哭得很痛，

剛揩乾眼淚，他就忙着報告給她，

他寫着：這是真實，不是夢！

第二天，他起身很早，

有一種感覺使得他不安靜，

用很快的步子趕進了城，

他想要去找的那位朋友，

特爲迎接他似的，半道上碰在一起。

「正好，有許多信在等你，

全是從清溪集來的！」

陽光在他的眼裏恍恍惚惚的發光，

他看喜鵲飛在頭頂，朝他叫，

他低着頭，小跑。

興奮使得他連自己也忘掉。

信有十幾封，像鳥兒，

一隻一隻從他手裏放出去，

今天，結成隊，一齊飛回到他的手裏！

只有一封是例外，

174

字體標出了宋老謀長的手筆。
臉，火燒火燎，
心上有件東西，「乒」的一聲
崩裂了！
打戰的腿
把他拖上了城頭，
把信一封一封的撕成碎塊，
在風前一揚，紙片
像他的心，一塊一塊飛到了天上。
最後，他打開了參謀長的信，
他寫着：「東西收到了，
可是，叫我向那兒去交？
她走了，聽說同着一位
　常同她來往的人，
走到那兒去？誰也不知道。
這兒剩了一間空洞洞的小草棚，
一條寂寞的流水，
風景還是一樣，才幾天，
人事已經大大不同了！
這個消息，不知道

175

要給詩人添多少感觸和詩料……」
他捧着信，向遠處望一望。
像一個百思不解的難題
忽然得到了解答一樣，
他的心雨後晴空一般的爽朗，
他還麼想；
「她並沒有騙我
也沒有騙她自己，
他追去了，追一件
比愛情更有價值的東西。」

三十二年五月十七日完成

176

著　　者：臧　　克　　家

出 版 者：當　今　出　版　社

印 刷 者：軍事委員會政治部印刷所

重慶磁器口斧頭岩五號

總 經 售：建　國　書　店

林森路特二十四號

一九四三年十一月初版

一九四四年十一月再版

每冊定價　元　角